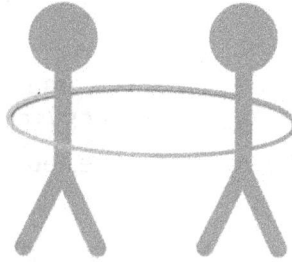

Sharing Lives

Oman elämän jakaminen

Oppikirja

*Kurssi, joka auttaa kristittyjä
jakamaan elämänsä muslimien kanssa*

Bert de Ruiter

VTR
Publications

Sharing lives on osa Operaatio Mobilisaatio –
järjestöä Suom. MT ja EE (SEKL)
http://www.sharinglives.eu

Bibliographic information published by the Deutsche Nationalbibliothek
The Deutsche Nationalbibliothek lists this publication in the Deutsche
Nationalbibliografie; detailed bibliographic data are available on the
Internet at http://dnb.dnb.de .

ISBN 978-3-95776-209-2 (VTR)
ISBN 978-3-902669-36-0 (OM)

VTR Publications, Gogolstr. 33, 90475 Nürnberg, Germany
http://www.vtr-online.com

The contact details of your local OM office you find at
http://www.om.org

JOHDANTO

Lähes kaikkialla Euroopassa kristittyjen ja muslimien yhteisöt asuvat lähellä toisiaan. Yksittäiset henkilöt, jotka ohittavat toisensa kaduilla, seisovat toistensa vieressä odottaessaan bussia, tai asuvat samoissa kerrostaloissa, opiskelevat samoissa luokissa ja ruokailevat samoissa työpaikkaruokaloissa, ovat pohjimmiltaan kuitenkin vieraita toisilleen.

Mikä oikein estää kristittyjä jakamasta elämäänsä muslimien kanssa? Enää ei tarvitse lentää johonkin toiseen maailman kolkkaan tapaamaan muslimeita, tarvitsee vain ylittää katu. Mikä estää kohtaamisen? Onko se tiedon puute? Ei näytä siltä. Islamista on paljon hyviä kirjoja, ja monissa kouluissa ja opistoissa on tarjolla kursseja islamista.

Samaan aikaan, islam on "kuuma peruna" tämän päivän mediassa. Monet kristityt puhuvat muslimeista, jotka polttavat kirkkoja Indonesiassa, vainoavat kristittyjä Egyptissä, lennättävät lentokoneita pilvenpiirtäjiin ja kaappaavat ihmisiä Jemenissä. Pitkän aikaa nämä tapahtumat tapahtuivat kaukana. Mutta sitten muslimit alkoivat pommittaa junia Madridissa ja Lontoon metrossa, ja marokkolainen tappoi hollantilaisen televisiotuottajan Amsterdamissa. On myös huomattu, että monet muslimit ovat haluttomia sopeutumaan Euroopan "kristillisiin" oikeuksiin, vaatien sen sijaan omia oikeuksiaan.

Tutkimukset ovat osoittaneet, että pelko on suurin yksittäinen tekijä, joka estää kristittyjä ottamasta yhteyttä muslimeihin.

Tämä kurssi *Oman elämän jakaminen* on valmistettu auttamaan Euroopan kristittyjä voittamaan negatiiviset pelkoasenteet, ennakkoluulot ja epäluulot islamia ja muslimeita kohtaan. Se myös opettaa vastaamaan armollisesti ja jakamaan elämäänsä muslimien kanssa.

Kurssin nimi on otettu 1 Tess. 2: 8, jossa apostoli Paavali kirjoittaa: *"Rakastimme teitä niin hellästi, että olimme valmiit antamaan teille Jumalan evankeliumin lisäksi oman itsemmekin; niin rakkaiksi te olitte meille tulleet."*

Tämä jae on esimerkki eläväksi tulleesta todistuksesta, jossa evanke-liumin ja oman elämän jakaminen täydentävät toisiaan.

Oman elämän jakaminen -kurssin tärkein tavoite on auttaa kristittyjä muuttamaan asennettaan pelosta islamiin ja muslimeihin armon asen-teeseen ja rohkaisemaan heitä rakentamaan mielekkäitä suhteita muslimeihin omassa yhteisössään, että he voisivat jakaa oman elä-mänsä ja Jeesuksen evankeliumin heidän kanssaan.

Kurssi haluaa rohkaista kristittyjä jakamaan elämänsä muslimien kans-sa viiden askeleen avulla. Jokainen askel selitetään yhdellä oppitunnil-la:

1) Mitä ajattelemme islamista ja muslimeista
2) Kuinka kehittää armollinen asenne
3) Muslimien ymmärtäminen
4) Muslimien tapaaminen
5) Pitkäaikaisten ihmissuhteiden kehittäminen

Tämän oppikirjan lisäksi saatavilla on myös opettajan käsikirja ja yli-määräistä materiaalia, jota voi käyttää kursin aikana (esim. Power Point -esityksiä ja filmileikkeitä). Lisää tietoa löytyy nettisivulta www.sharinglives.eu.

Dr. Bert de Ruiter
Amsterdam

OPPITUNTI 1:
KUVAMME ISLAMISTA

Tavoite: Auttaa osallistujia tutkimaan asenteitaan islamia ja muslimeita kohtaan Raamatun valossa.

Tehtävä:
Vastaa seuraaviin kysymyksiin tehtävälistalta:

Mitä sanoja, kuvia ja ajatuksia tulee mieleen, kun ajattelet islamia ja muslimeita?
Jatka seuraavan lauseen alkua:
Kun ajattelen islamia, luulen, että seuraavan 20 vuoden aikana...
Jatka seuraavan lausetta: Kun ajattelen islamia, haluaisin, että...
Keskustele muiden antamista vastauksista.

---

1 Jumalan kutsu

Matteus 28:18-20 -jakeista voimme lukea seuraavat ylösnousseen Herramme Jeesuksen Kristuksen sanat apostoleilleen:

"Minulle on annettu kaikki valta taivaassa ja maan päällä. Menkää siis ja tehkää kaikki kansat minun opetuslapsikseni: kastakaa heitä Isän ja Pojan ja Pyhän Hengen nimeen ja opettakaa heitä noudattamaan kaikkea, mitä minä olen käskenyt teidän noudattaa. Ja katso, minä olen teidän kanssanne kaikki päivät maailman loppuun asti."

Tämä Lähetyskäsky on edelleen voimassa tänään. Herra Jeesus Kristus edelleen haluaa tehdä maailman kaikista ihmisistä opetuslapsiaan. Tähän kuuluvat myös muslimit omassa maassamme, kaupungeissamme ja naapurustoissamme. Seurakunnan Herra kutsuu seurakunnan jäseniä tekemään opetuslapsia kaikista kansoista.

Kaikkina aikoina hän on käyttänyt omia seuraajiaan kutsumaan muita luokseen. Joskus hänen on täytynyt ottaa käsiteltäviksi haluttomia työntekijöitä, kuten näemme Joonaan elämästä.

2   Joonan vastaus Jumalan kutsuun

Joonaalle, Amittain pojalle, tuli tämä Herran sana: "Lähde Niniveen, tuohon suureen kaupunkiin, ja julista siellä, että minä, Herra, olen nähnyt sen pahuuden ja rankaisen sitä." Mutta Joona päätti paeta Herraa. (Joona 1:1-3)

Joonaan kirjasta näemme Jumalan säälin maailmaa kohtaan, jopa Israelin vihollisia kohtaan. Jumala tiesi Niniven ihmiset ja mitä he olivat tehneet. He ansaitsivat hänen tuomionsa ja rangaistuksensa syntiensä vuoksi. Sen sijaan, että hän rankaisisi heitä heti, hän halusi antaa mahdollisuuden katua niin, että hän voisi antaa heille anteeksi. Jumalalle on mieluisempaa antaa anteeksi kuin rangaista. Usein näemme, että Jumala haluaa käyttää meitä tarkoituksiensa toteuttamiseen tässä maailmassa.

Näemme myös tästä kertomuksesta, että Jumala haluaa käyttää Joonaa omien tarkoituksiensa toteuttamiseen Ninivessä. Mutta näemme myös, että Joona oli haluton täyttämään tätä tehtävää.

Jotta ymmärtäisimme paremmin, mitä Jumalan kutsu Joonalle tarkoitti, meitä auttaa se, että tiedämme enemmän Ninivestä.

a   Assyrian ja Niniven taustaa

1 Moos. 10:8-11 kertoo, että Niniven rakensi Nimrod, yksi maailman ensimmäisistä mahtavista sotureista. Joonan päivinä Ninive oli Assyrian valtakunnan pääkaupunki. Assyria oli kuningaskunta Tigris- ja Eufrates -jokien välillä ja vallitsi muinaista maailmaa yhdeksänneltä vuosisadalta seitsemännelle vuosisadalle eKr. Valtakunta oli eräs muinaisen maailman parhaimmista taistelukoneista ja yksi verenhimoisimmista ja julmimmista kulttuureista, joita on koskaan tunnettu.

Kauhu oli eräs tekijä, joka osaltaan edisti Assyrian menestystä. Heidän tietoisesti ylläpitämänsä kauhutekniikkansa oli mahdollisesti eräs aikaisin esimerkki järjestäytyneestä psykologisesta sodankäynnistä.

Ei ollut harvinaista, että he tappoivat jokaisen miehen, naisen ja lapsen kaappaamissaan kaupungeissa. Assyriasta tuli julmuuden ja kauhutekojen haukkumanimi. He nylkivät vankinsa elävinä, ja katkoivat irti eri ruumiinosia luodakseen kauhua vihollisissaan.

Historiallisissa monumenteissaan ja raporteissaan he kerskuvat, kuinka korkeita olivat ne ihmispäiden pyramidit, joita he rakensivat voittamistaan vihollisista ja kuinka he polttivat kaupunkeja ja seivästivät ihmisiä ja katkoivat irti käsiä ja ruoskivat ruumiita ja niin edelleen. Eräässä Assyrian muinaisista raunioista löydetyssä monumentissa on Kuningas Asshurizirpalin (hallituskausi alkoi v. 883 eKr.) kirjoittama kuvaus yhdestä voitetusta kaupungista:

"Heidän miehensä, nuoret ja vanhat, otin vangiksi. Joidenkin jalat ja kädet katkoin poikki; vanhojen miesten päistä rakensin minareetin."
Hawlinsonin "Five Great Monarchies" vol. 2, s 85, huomautus.

Assyrian politiikka oli karkottaa voitetut kansat muihin maihin valtakunnan sisällä, tuhota heidän kansallistuntonsa, ja murtaa kaikki kapinaylpeys tai -toivo asettamalla heidät kaukaa tulleiden vieraiden kansojen yhteyteen.

Juuri tätä he olivat tekemässä Israelin pohjoisosassa v. 722 eKr. Luemme 2 Kuningasten kirjan luvusta 24:

"Assyrian kuningas siirsi Babyloniasta, Kutasta, Avvasta, Harnatista ja Sefarvaimista uusia asukkaita Samarian kaupunkeihin. Nämä israelilaisten sijaan tulleet ottivat Samarian haltuunsa ja asettuivat sen kaupunkeihin."

Näitä ihmisiä alettiin kutsua "samarialaisiksi".

Naahumin kirjassa, luvussa 3, jakeissa 1-4 olevasta selostuksesta 150 vuotta Joonaan jälkeen voimme lukea kuvauksen Ninivestä:

"... kaupunki täynnä verta, täynnä valheita, täynnä ryöstöä, ei koskaan ilman uhreja...".

Se myös puhuu kaupungin noituudesta ja taikuudesta. Monet Vanhan Testamentin profeetat (Jes. 10:5; Hes. 16:28; Hoos. 8, 9) tuomitsivat voimakkaasti pakanallisen assyrialaisten palvonnan.

Tällaisen taustan edessä ei ole vaikea ymmärtää, että suurin osa Israelin ihmisistä katsoi assyrialaisia syvällä mielessään olevalla vihalla, epäilyllä ja pelolla. Mekin alamme ymmärtää Joonan vastahakoisuuden mennä näiden ihmisten luo.

Keskustele:
Yritä laittaa itsesi Joonaan asemaan. Kuinka sinä olisit vastannut Jumalan kutsuun?
Kärsimmekö yhä tänään "Joonaan oireyhtymästä"? Jos niin on, millä tavalla?

---

3   Islam: meidän Ninivemme?

Assyrian pelottava valtakunta on hävinnyt. Niniven kuuluisa kaupunki on vain pieni kylä tämän päivän Irakissa. Muut voimat ja vallat, kaupungit ja ihmiset ovat ottaneet niiden paikan. Monelle Euroopan kristitylle heidän tämän päivän "Ninivensä" on islam. He näkevät äärimuslimien aggressiivisuuden, kuulevat, kuinka muslimien hengelliset johtajat puhuvat asioista, jotka täyttävät heidät pelolla, ja he katsovat epäillen niitä monia muslimeita, jotka ovat tulleet asumaan maihimme. Eräs suurimmista esteistä kristityille jakaa elämänsä muslimien kanssa on heidän oma asenteensa.
Monen Euroopan kristityn asenne islamia ja muslimeita kohtaan on pelko, ennakkoluulo ja epäilys.

4 Islam-pelkomme kohtaaminen

Pelko on ihmisluonteen luonnollinen peruspiirre ja vaisto. Jumala on luonut meihin kyvyn pelätä. Pelko voi toimia hälytysvalona lähestyvästä vaarasta. Terveellinen pelko suojelee meitä todelliselta vaaralta. Kaikki pelko ei ole synnillistä, esim. Jeesus oli peloissaan Getsemanen puutarhassa. Toisaalta kaikki nähty pelko ei ole todellista pelkoa.

Eräs paljon käytetty kirjainsana on

> Väärä
>
> Todistus
>
> Näyttää
>
> Aidolta

Kaikki pelko on aistihavaintoa. Vaikka suurin osa pelkäämistämme asioista ei toteudu, väärä todistus on voi olla joskus hyvin vakuuttava.

Pelko usein vääristää todellisuuden tajumme. Pelko vääristää oman itsehavainnon niin, että tunnemme olevamme heikompia kuin todellisuudessa olemme. Se vääristää ongelmiemme koon, tai niiden voiman, joiden näemme olevan vihollisiamme niin, että ne näyttävät valtavilta ja voittamattomilta. Mutta ehkä kaikista tärkeintä on se, että pelko vääristää Jumalakuvamme. Tuntuu, että Jumala on heikko, Hän ei ole kiinnostunut asiastani, tai ei välitä meistä ongelmiemme keskellä.

Ero oikeutetun vaarallisen maailman pelon ja pelon välillä, joka vangitsee meidät tai jopa loukkaa Jumalaa on se, *mitä tai ketä pelkäämme* ja mihin se pelko ajaa meidät. Ajaako se meidät suojelemaan itseämme, vai ajaako se meidät Jumalan, Suojelijamme luo? Sananlaskut 29:25 kertoo meille: *"Joka ihmisiä pelkää, on pelkonsa vanki, joka luottaa Herraan, on turvassa."*

Pelosta voi tulla ase Saatanalle, joka käyttää pelkovaistoamme estämään meistä tulemasta kaikkea sitä, mitä Jumala haluaa meidän olevan tai tekevän. Käsky, "älä pelkää" on yksi useimmin toistetuista käskyistä koko Raamatussa. Tämä kertoo, että pelko ja huoli eivät ole vain osa ihmisyyden yleisimmistä tiloista, vaan myös tunne tai reaktio elämään, joka sopii vähiten Kristuksen seuraajalle.

Daavid kuvaa tätä paradoksia kauniisti, kun hän kirjoittaa:

"Kun pelko minut valtaa, minä turvaudun sinuun. Sinun sanaasi, Jumala, minä ylistän, sinuun minä luotan, en pelkää mitään. Mitä voi minulle kukaan kuolevainen? (Ps. 56:4, 5)

Yksi tapa käsitellä pelkoamme on oppia enemmän siitä, mikä aiheuttaa tämän pelon.

Tämän kurssin puitteissa, kun kohtaamme islamin pelkoamme, on hyvä oppia enemmän siitä, kuinka muslimit harjoittavat uskoaan, ja tulkitsevat Koraania ja kuinka islam kehittyy Euroopassa. Katsomme tätä yksityiskohtaisemmin tämän kurssin 3 oppitunnilla.

Toinen tärkeä askel pelon käsittelyssämme on ottaa se vakavasti:

"Kun pelon seuraukset hämärtävät näköämme, kuinka saamme näkömme selventymään? Kuinka saavutamme jälleen todellisuuden tajun, kun uhkat tuntuvat niin tosilta ja vaarat niin läheisiltä? Vastaus supistuu siihen, kuinka tunnemme pelon. Jos vältät pelkoasi, siitä tulee synkkä ja tuhoisa. Sen sijaan, anna sen vaania sinua ilman, että yrität huitoa sitä pois luettelemalla hurskaita latteuksia tai yrittämällä kääntää mielesi pois siitä olemalla kiireinen. Pelon kohtaaminen on samaa kuin sydämen avaaminen. Pelko selvittää asioita samalla, kun se tuo esille ketä (ja mitä) palvelemme. Se voidaan jakaa kahteen kategoriaan: maailman pelkoon ja Jumalan pelkoon." [1]

Suurin osa peloistamme nousee vaatimuksestamme saada jonkin verran mielihyvää, kunniaa, tarkoitusta, turvallisuutta ja iloa maailmassa, joka useammin tarjoaa meille kipua, häpeää, kaaosta, ja surua. Maailman pelko on toinen tapa kuvata, mitä elämä – tai muut – saattavat meille tehdä.

---

[1] Dan. B. Allender & Tremper Longman III, The Cry of the Soul, how our emotions reveal our deepest questions, about God (Colorado Springs: NaviPress, 1994), 99

Toinen tapa käsitellä pelkoamme elämässämme on laittaa se, mikä aiheuttaa pelkoa toisen todellisuuden viereen. Kristittyinä tämä todellisuus on Jumalamme, Luojamme ja Kristus Jeesus, Isämme. Yksi tapa voittaa ihmis- tai olosuhteiden pelko on tulla tietoisemmaksi siitä, kuka Jumala on.

Tämä on eräs Jesajan 40-54 lukujen sanoma, joka käsittelee Jumalan kansan historiallista aikaa ja jolla saattaa olla joitakin vastineita oman aikamme kanssa.

5   Jesajan 40-54 lukujen tausta

Profeetta Jesaja eli erään Israelin kansan synkimmän aikakauden aikana. Pohjoinen Kuningaskunta (10 heimoa) oli viety Assyriaan ja Eteläinen Kuningaskunta (2 heimoa) oli vaarassa kokea saman, sillä heidät oli vallannut toinen maailmanvalta: Babylonia.

Jesajan 40-54 luvuissa näemme Jumalan sanat, jotka hän oli puhunut kansalleen eräänä heidän historiansa vaikeana aikana. He olivat maanpaossa ja temppeli ja Jerusalemin pyhä kaupunki oli tuhottu. Ihmiset oli hajotettu ympäri vieraita kansoja. Muut kuninkaat ja vallat, valtakunnat ja heidän jumalansa olivat voittaneet heidät.

Maineikkaat entisajan päivät olivat menneet. Ei ollut temppeliä, ei maata, ei identiteettiä. Ihmiset olivat lannistuneita, masentuneita ja luulivat, että Jumala oli heidät hyljännyt. He sanoivat toisilleen:

"Ei ole Herra nähnyt elämäni taivalta, minun asiastani ei Jumala välitä." (Jes. 40:27)

ja myös

"Herra on minut hylännyt, Jumalani on minut unohtanut!" (Jes. 49:14).

Daavidin ja Salomonin kunnian päivät olivat ohi. Israel ei ollut enää itsenäinen kuningaskunta. He olivat kuvitelleet, että niin kauan kun Jerusalemissa oli temppeli, he olisivat turvassa, mutta nyt temppeli oli tuhottu. Ihmiset kuvataan *'tyhjiin ryöstetyiksi ja rosvotuiksi, kaikki on suljettu vankityrmiin, kätketty luoliin. Ryöstösaalista heistä on tullut, eikä ole vapauttajaa, rosvojen saalista he ovat, eikä kukaan sano: "Päästä heidät"!* (Jes. 42:22 vrt. 49:19-21).

He olivat pettyneitä Jumalaan, uskoen, että Jumala ei näe, hän ei tiedä eikä välitä. Hiljalleen he tulivat vakuuttuneiksi, että Jumala ei pystynyt tekemään mitään asian suhteen. He eivät odottaneet enää mitään Jumalalta. Heidän vanhoista ajoista laulaminen oli loppunut. Psalmi 137 ilmaisi heidän tuntojaan:

"Virtojen varsilla Babyloniassa me istuimme ja itkimme, kun muistimme Siionia. Rannan pajuihin me ripustimme lyyramme. Ne, jotka meidät olivat sinne vieneet, vaativat meitä laulamaan, ne, joiden orjuudessa me vaikeroimme, käskivät meidän iloita ja sanoivat: 'Laulakaa meille Siionin lauluja!' Kuinka voisimme laulaa Herran lauluja vieraalla maalla?" (Ps. 137:1-4)

Ihmiset olivat vakuuttuneita, että Jumalan voima oli rajoittunut Luvatun Maan rajojen sisään.

He olivat lannistuneita, masentuneita, epävarmoja ja peloissaan.

Tällaisena Israelin historian synkkänä aikana, Jumala kutsui profeetta Jesajan lohduttamaan heitä (Jes. 40:1) ja niin tehdessään hän säännöllisesti kertoo heille 'olla pelkäämättä' (esim. 40:9; 41:10, 13, 14; 43:1, 5; 44:2, 8; 51:7, 12; 54:4, 14).

Jumala haluaa auttaa omiaan pääsemään yli pelkonsa, osoittamalle heidät itsensä luo:

"...älä pelkää; julista... Teidän Jumalanne tulee!" (40:9).

Jumala lohduttaa pelokasta kansaansa paljastamalla heille enemmän itsestään:

"Minä, minä olen teidän lohduttajanne. Kuinka olet voinut pelätä... ja unohtaa Herran, joka sinut loi... kaiken päivää vainoojasi vihaa... (Jes. 51:12, 13).

Tästä Raamatun kohdasta, joka alkaa sanoilla: *"Lohduttakaa, lohduttakaa minun kansaani, sanoo teidän Jumalanne"* (40:1) ja loppuu sanoihin *"ja niin jokainen ase, joka taotaan sinua vastaan, on tehoton. Jokaisen kielen, joka käy sinua syyttämään, sinä osoitat valehtelijaksi. Tämä on Herran palvelijoiden perintöosa. Minä annan heille siihen oikeuden."* (54:17), voimme oppia viisi luonnetta Jumalasta, jotka erikoisesti auttavat meitä käsittelemään islamin pelkoamme:

A   Jumala lupaa olla meidän kanssamme – oli tilanne mikä tahansa

"Älä pelkää, minä olen sinun kanssasi." (Jes. 43:5) (vrt. Jes. 41:10)

Eräs syy, miksi Jumalan kansan ei pitäisi pelätä, oli tilanne mikä tahansa, on se, että Jumala on luvannut olla heidän kanssaan. Jumala tulee olemaan kanssamme (41:10; 43:5), hän ei hylkää meitä (Jes. 41:17; 42:16) eikä hän unohda meitä (44:21; 49:15).

Tämä ei ole takuu ongelmattomalle elämälle. Koetuksia ja vaikeuksia saattaa tulla eteen, mutta mikään ei todella voi satuttaa meitä: *"Älä pelkää... kun kuljet vesien halki, minä olen sinun kanssasi."* (Jes. 43:2) Jumalan läsnäolo lohduttaa meitä pelottavissa tilanteissa.

B   Jumalan suunnitelma pysyy – oli tilanne mikä tahansa

"Jo alusta asti olen kertonut kaiken, mikä oli tuleva, jo ammoin ilmaissut sen, mikä ei ollut tapahtunut vielä. Näin minä sanon, ja päätöksessäni pysyn, kaiken mitä tahdon, minä toteutan... Minä olen sanonut sanani ja panen sen toimeen, olen kaiken suunnitellut ja saatan sen päätökseen." (Jes. 46:10, 11).

Halussaan lohduttaa kansaansa ja auttaa heitä voittamaan pelkonsa, Jumala haluaa meidän keskittyvän siihen, kuka hän on:

B.1   Hän on kaikkivaltias Luoja

"Minä, minä olen teidän lohduttajanne. Kuinka olet voinut pelätä kuolevaista ihmistä, Adamin lasta, joka lakastuu kuin ruoho? Kuinka olet voinut unohtaa Herran, joka sinut loi, joka levitti auki taivaan ja laski

maan perustukset? Kuinka olet voinut pelätä aina ja kaiken päivää vainoojasi vihaa, kun hän yritti tuhota sinut?" (Jes. 51:12, 13)

Pelottavina aikoina, kun ympärillämme myrskyää, kun elämämme perusta tuntuu putoavan altamme, Jumala haluaa meidän muistavan, että hän on meidän kaikkivaltias Luojamme. Jumalamme on ainoa kaiken Luoja (44:24; 48:13; 51:16). Hän mittaa (40:12) kämmenen leveydellään taivaat ja kourallaan meren vedet, vuoret (40:12), metsät ja eläimet (40:16); tähdet ja planeetat (40:26) ja myös kansakunnat ja saaret (40:15). Korkein Luoja on se, joka antaa elämän ihmisille ja elämän kaikille, jotka kulkevat maan päällä (42:5).

Hallitsijat ja kaikki ihmiset maan päällä myöntävät olemassaolonsa synnyksi ikiaikaisen Jumalan, koko maanpiirin Luojan (40:28).

Hän loi taivaat ja maat tarkoitustaan varten (45:18). Hän on Korkein Luoja, joka ei tarvitse apua keneltäkään (40:13, 14; 44:24). Me saamme luottaa hänen voimaansa, ymmärrykseensä ja tarkoitukseensa, vaikka emme aina sitä edes ymmärtäisi.

Ihmiset ja vallat, jotka näyttävät mielestämme tehokkailta ja jotka saavat meidät pelkäämään ovat kuin pisara ammennusastiassa (40:15), tai kuin heinäsirkka (40;22), tai savi (45:9) Korkeimman Luojan käsissä.

B.2   Hän on koko maailman tuomari

"Vaiti! Kuunnelkaa minua, kaukaiset rannat. Kuulkaa, kansakunnat! Tulkaa, astukaa esiin ja puhukaa, ryhtykäämme yhdessä käymään oikeutta." (Jes. 41:1)

Jumala kutsuu kansakunnat ja heidän epäjumalansa ajamaan asiansa ja esittämään todisteensa (Jes. 41:19-25) ja tuomaan todistajansa (43:9-21), astumaan eteen ja kokoontumaan yhteen (45:20). Jesaja antaa meille kuvan oikeudenmukaisesta Jumalasta, joka kutsuu kaikki kansakunnat, kaikki kansat vyöttämään voimansa ja tulemaan hänen eteensä tuomiota varten. Jumala on kaiken maailman tuomari. Hän kutsuu kansakunnat kertomaan elämästään ja uskonnoistaan ja ajatuksistaan. He tulevat hänen oikeusistuimensa eteen. Hän on kaiken tuomari ja oikealla ajalla, hän tulee tuomitsemaan jokaisen ihmisen.

Hän on sitoutunut olemaan oikeudenmukainen ja vanhurskas. Hänen säätää oikeutensa kansojen valoksi (51:5) ja hänen luja kätensä jakaa kansoille oikeutta (51:6) ja hänen vanhurskautensa ei koskaan murene (51:6). Vaikka tällä hetkellä näyttää siltä, että epäoikeudenmukaisuus on vallassa, Jumala, koko maailman tuomari, asettaa kaiken oikeaksi omalla ajallaan ja tulee aika, jolloin jokainen polvi notkistuu hänen edessään ja jokainen kieli tunnustaa hänen herruutensa (45:23).

umalan tuomion vakuutus lopun aikoina auttaa meitä itse pidätty-mään puuttumasta asioihin kaiken keskellä.

B.3   Hän on kuninkaiden kuningas

"Kuka herätti idästä miehen kulkemaan voitosta voittoon? Kuka jättää kansat hänen armoilleen ja alistaa kuninkaat hänen valtaansa? Mie-kallaan hän muuttaa heidät tomuksi, jousellaan tuulen ajelemiksi akanoiksi." (Jes. 41:2)

Jumala nöyryyttää ja tyhjentää prinssit ja hallitsijat, jotka näyttävät niin vaikuttavilta ja jotka tällä hetkellä aiheuttavat niin paljon vahinkoa (40:23). Hän käyttää poliittisia johtajia, jotka luulevat voivansa toteut-taa omat suunnitelmansa, toteuttaakseen omat ikuiset suunnitelman-sa (41:25; 44:28; 45: 1-13).

Jesajan raamatunkohdat viittaavat pääasiassa Kyyrokseen, Persian kuninkaaseen, jota Jumala kutsuu "paimenekseen", joka saa aikaan kaiken, mitä Jumala haluaa (44:28), ja "voidellukseen" (45:1).

Eteemme nousee kuva, jossa Jumala herättää kuninkaan ja johtaa hä-net voittoon ja vapauttamaan kansakunnat edessään. Hän kontrolloi ihmisten ja kansakuntien asiat omien suunnitelmiensa mukaan. Juma-la saattaa loppuun tämän maailman pahat valtakunnat (esim. Babylon Jesajan aikana); vaikka ne itse luulevat voimansa kestävän ikuisesti (47:7). Kaikkivaltiudessaan Jumala käytti vieraita kansoja kurittamaan Israelia (47:6).

B.4 Hän on ensimmäinen ja viimeinen

"Kuka on tämän tehnyt, kuka on saanut aikaan. Hän, joka alusta alka-
en on kutsunut sukupolvet elämään. Minä, Herra, olen ensimmäinen,
ja viimeistenkin keskellä olen sama." (Jes. 41:4 vrt. 43:10; 44:6; 48:12).

Jumala hallitsee ihmiskunnan tapahtumien kulkua. Jumala on ensim-
mäinen – hän on ehdoton todellisuus ennen kaikkia muita todellisuuk-
sia ja joista kaikki muut todellisuudet riippuvat. Hän on luomaton en-
simmäinen. Hän on iankaikkinen (40:28). Ja hän tulee olemaan vii-
meistenkin keskellä, kun kaikki on täytetty hänen ikuisen suunnitel-
mansa mukaan. Hän tietää lopun alusta (44:7; 46:10; 48:3). Hän tietää
tulevaisuuden (45:11).

Ihmishistoria ei ole vain sattumanvarainen, merkityksetön yhdistelmä
suunnittelemattomia tapahtumia, vaan taivaassa on Jumala, joka oh-
jaa ihmistapahtumia lopulliseen päätökseen ja täyttymykseen.

Tämä tarkoittaa sitä, että Jumalalla ehdottomasti *on* suunnitelma ih-
mishistorialle, ja hän ohjaa ihmisten tapahtumien polkua suunnitte-
lemaansa täyttymystä kohti.

Jos Jumala on sekä ensimmäinen että viimeinen, niin hänellä on myös
valta kaiken välillä olevan yli, ja hän ohjaa kaikkea ihmisten historiaa,
ja jopa meidän yksittäistä elämäämme.

Se tosiasia, että Jumala kutsuu itseään Ensimmäiseksi ja Viimeiseksi,
viittaa myös siihen tosiasiaan, että hän on ainoa todellinen voima,
ainoa todellinen arvovalta. Ylin Todellisuus, Ainoa Pelastaja: *Minä,*
minä yksin olen Herra, ei ole muuta pelastajaa kuin minä. (43:11;
myös 44:8; 44:24; 45:5; 6, 18, 21, 22; 46:9; 10).

Ilmestyskirjan kohdissa 1:17 ja 22:13 Jeesus ottaa saman nimen En-
simmäinen ja Viimeinen.

Keskustele:

- **Jumala on historian kaikkivaltias Luoja. Mitä tämä opettaa**
  meille islamin synnystä kuudennella vuosisadalla jälkeen Kris-
  tuksen?

- Miten meidän tulisi Jumalan kaikkivaltiuden valossa suhtautua fundamentalistisiin musmileihin tai Talebaanien ja Al-Qaedan kaltaisiin ryhmiin? Voisiko Jumala käyttää näitä ihmisiä tai ryhmiä omiin tarkoituksiinsa? Jos voi, niin mihin tarkoituksiin?
- Miten Jumalan kaikkivaltius ja miljoonien muslimien saapuminen Eurooppaan liittyvät toisiinsa? Kun keskustelet tästä, katso mitä apostoli Paavali sanoi: "... hän on säätänyt niille määräajat ja asuma-alueiden rajat, jotta ihmiset etsisivät Jumalaa ja kenties hapuillen löytäisivät hänet." (Apt. 17: 26 -27).

C   Jumala ottaa vastuun kansastaan – oli tilanne mikä tahansa

"Sinä, palvelijani Israel, Jaakob, sinä, jonka olen valinnut, sinä, ystäväni Aabrahamin siemen, sinä, jonka käteen minä tartuin, jonka minä toin maan ääristä ja kutsuin kaukaisimmista kolkista, jolle minä sanoin: 'Sinä olet palvelijani, minä olen sinut valinnut, en sinua väheksynyt'." (Jes. 41:8, 9)

Älä pelkää, minä olen lunastanut sinut. Minä olen sinut nimeltä kutsunut, sinä olet minun (43:1).

Jesajan aikana Jumalan kansa luuli, että kaikki oli lopussa. Muut vallat näyttivät voimakkaammilta, kun taas heidän oma tulevaisuutensa näytti synkältä. Meidän aikoinamme monet kristityt Euroopassa pelkäävät, että kirkko Euroopassa häviää, ja että islam ottaa vallan. He näkevät, että kirkkoja muutetaan moskeijoiksi ja kokevat, että kristinuskon vaikutus yhteiskunnassa on häviämässä. Tällaista taustaa vasten Jesajan sanat ovat edelleen asiallisia. Jesaja näyttää oman aikansa Jumalan kansalle, ja epäsuorasti kristityille 2000-luvun Euroopassa, että he ovat arvokkaita Jumalan silmissä (43:4); heidät on piirretty hänen käsiensä ihoon (49:16).

Jumala ei häpeä kutsua itseään heidän Jumalakseen (40:1; 43:3), heidän Pelastajakseen (43.3), Lunastajakseen (43:14), ja Kuninkaakseen (43:15). Hän on sitonut oman kunniansa heihin (48:11; 43:7). Hän suojelee heitä vaaroissa (43:2; 54:17); hän kaitsee heitä kuin paimen

(40:11); hän tarjoaa heille apuaan (40:13, 14); hän vahvistaa heitä (41;10). Hän lohduttaa heitä (40:1; 51:12); hän lupaa heille valoisan tulevaisuuden (42: 14 -16; 43:5, 6).

D   Jumalan suunnitelmat liittyvät aina ristiin – oli tilanne mikä tahansa

Jumalan lupaus olla meidän kanssamme ja hänen kaikkivaltiutensa ja sitoutumisensa meihin ei tarkoita, että hänen kansansa ei kokisi vaikeita aikoja, vainoja ja kärsimystä.

Päinvastoin, tästä Jesajan kohdasta opimme, että kärsimys on erottamatonta Jumalan ikuisten suunnitelmien täyttymyksessä. Näistä Jesajan luvuista löydämme neljä "Palvelijan laulua" (42:1-9; 49:1-6; 50:4-9; 52:13- 53:12). Jokainen kohta puhuu Palvelija -olennosta, jolle Jumala on antanut tehtävän. Se Herran suuri työ Israelin ja koko maailman puolesta, josta puhutaan Jesajassa, täyttyy tämän olennon kautta. Tämän Herran Palvelijan luonne ja tehtävä täyttyy Jeesuksessa. Herran Palvelija nousee esiin olentona, joka saa aikaan maanpaosta palaamisen, mikä loppujen lopuksi ei ole vain yksinkertaisesti maantieteellinen paluu, vaan hengellinen paluu. Tämän Palvelijan kautta täyttyvät Jumalan suunnitelmat. On tärkeää huomata, että kolme Palvelijalaulua puhuu kärsimyksestä. Ensimmäisessä (49:4, 7) ja kolmannessa (50:6), ne eivät ole niin selvästi esillä, mutta neljännessä kärsimyksellä on iso osa. Jos Jumalan Palvelija ei pystynyt välttämään kärsimystä kunnian tiellään ja täyttäessään Jumalan tarkoituksia, näyttää siltä, että tuska, kärsimys, vaino on normaalia Jeesuksen seuraajalle. Tämä Jeesuksen uhrautuvainen rakkaus kansaansa kohtaan on malli suhtautumisellemme muslimeita kohtaan.

6   Jumalan pelko voittaa kaiken pelon

"Se teistä, joka pelkää Jumalaa, kuulkoon Herran palvelijan sanaa. Joka kulkee syvällä pimeydessä ilman valoa, luottakoon Herran nimeen ja turvautukoon Jumalaan." (Jes. 50:10)

Tässä Raamatunkohdassa, jossa Herra lohduttaa pelokasta kansaansa osoittamalla heille tien luokseen, hän sanoo yli kymmenen kertaa 'älä pelkää'. Meitä rohkaistaan olemaan pelkäämättä ihmisiä, valtiaita, tilanteita, tulevaisuuttamme, epäoikeudenmukaisuuksien edessä jne. Mutta meitä rohkaistaan myös pelkoon, nimittäin 'Herran pelkoon'. Isot pelot saavat pikkupelot häviämään. Jumala on se, jota meidän tulisi pelätä yli kaiken. Sanonta 'Herran pelko' johtaa kunnioittavaan, luottavaan, alistuvaan ja tottelevaan asenteeseen. Herran pelossa eläminen on samaa kuin hänen läheisyydestään nauttiminen.

"Kun me kadotamme oikean suunnan, emmekä pelkää Herraa yhtä paljon, kuin jotain muuta, me päädymme vastoinkäymisiin. Kun pelkäämme jotain muuta, unohdamme Herran pelon... Herran läheisyydessä kaikki inhimilliset pelot häviävät, kuten savu häviää tuulessa... Herran pelko ei aja meitä pois hänen läheisyydestään, vaan mieluummin lähemmäksi. Kun Herran pelko ylittää oman maailman pelkomme, vain silloin pystymme todellisesti ja antoisasti toimimaan pelkoinemme maailmassa."[2]

Mitä enemmän elämme Herran pelossa, sitä vähemmän me pelkäämme ihmisiä ja tilanteita. Herran pelko auttaa meitä pääsemään ihmisten pelon yli, kuten Daavid myös osoittaa Psalmissa 112:

"Hyvä on sen osa, joka pelkää Herraa... ei hän pelkää pahoja viestejä.. hänen sydämensä on vakaa." (Ps. 112:1, 7)

KOTITEHTÄVÄ

Tästä oppitunnista poimittava tärkein kotitehtävä, ja valmistautuessasi seuraavaan, on RUKOUS. Erikoisesti muutoksen rukous; muutos islamin maailmassa yleisesti ja muutos sydämissämme erikoisesti muslimeita kohtaan. Haluamme rohkaista sinua rukoilemaan päivittäin muslimien puolesta. Tämä voi tarkoittaa muslimeita uutisissa, tai ihmisiä, joista olet kuullut tai, jotka tunnet henkilökohtaisesti. Rukoile, että Jumala tekisi heistä opetuslapsiaan.

---

[2] Allender and Tremper Longman III, 102, 103

1. Tutki elämääsi (pyydä Jumalaa näyttämään): onko elämässäsi alueita, joissa ihmisten tai olosuhteiden pelko on suurempi kuin jumalanpelkosi? Kuinka voisit soveltaa opittua Jes. 40 – 55 näihin tilanteisiin?

2. Haluamme myös rohkaista sinua rukoushetkissäsi tutkimaan asennettasi islamia ja muslimeita kohtaan. Jotta tästä tulisi mahdollisimman käytännöllistä, ehdotamme, että katsot sitä paperia, jolle oppitunnin alussa kirjoitit ajatuksesi ja kuvasi islamista ja muslimeista ja kuinka luulet tai haluaisit islamin ilmenevän seuraavan 20 vuoden aikana.

> **Käytä sen paperin sisältöä rukoushetkissäsi seuraavaan oppituntiin asti ja lue myös seuraavat psalmit:**
>
> ensimmäinen päivä: Psalmi 137
> toinen päivä: Psalmi 109
> kolmas päivä: Psalmi 55
> neljäs päivä: Psalmi 69
> viides päivä: Psalmi 56
> kuudes päivä: Psalmi 27
> seitsemäs päivä: Psalmi 91
>
> **Etsi vastaukset jokaisesta psalmista tähän kysymykseen: Mitä oppimaani voin käyttää tästä psalmista asenteessani ja kuvassani muslimeista ja islamista?**

Jotkut näistä psalmeista ovat nk. kirouspsalmeja, joissa kirjoittaja pyytää Jumalaa rankaisemaan vihollisiaan. Monet kristityt kokevat vaikeaksi yhdistää nämä psalmit Jumalan rakkauteen ja hänen käskyynsä rakastaa vihollisia. Mutta tässä ei ole ristiriitaa. Näiden psalmien läpirukoileminen tarkoittaa, että hyväksymme Room. 12: 19-21 (jossa lainataan 5 Moos. 32:35) totuuden, nimittäin:

"Älä maksa pahaa hyvällä. Muista tehdä sitä, mikä on oikein kaikkien edessä. Jos mahdollista, ja jos se riippuu sinusta, elä rauhassa kaikkien kanssa. Älä ota kostoa omiin käsiisi, ystäväni, vaan jätä tilaa Jumalan

vihalle, sillä on kirjoitettu: 'Minun on tuomio, minä maksan tekojen mukaan, ' näin sanoo Herra."

Nämä psalmit opettavat meille, että vuorovaikutuksessa taivaallisen Isämme kanssa, on tilaa tunteillemme, myös kielteisille tunteille. Kun tuomme vihamme, pelkomme, huolemme ja ennakkoluulomme rakastavan, armollisen, pyhän ja oikeudenmukaisen Jumalan eteen, omat kielteiset tunteemme voivat jäädä lepäämään hänen läheisyyteensä ja hän voi opettaa meille, mitä tarkoittaa olla armollinen ja anteeksiantavainen, aivan kuin hän itse.

Psalmi 137

Tämä psalmi kuvaa niitä Jumalan kansan traumaattisia jälkitunteita heidän ollessaan maanpaossa Babyloniassa. He ovat kokeneet kauhistuttavaa väkivaltaa, ja heidät on viety pois kodeistaan ja pakotettu asumaan vieraan vallan alaisuudessa. He ovat surun ja epätoivon vallassa. He haluavat tietää, mitä Jumala aikoo tehdä tämän asian suhteen. He haluavat oikeutta ja kostoa.

"Uskaltaessamme tuoda esiin kostonhalun Jumalan palveluksen yhteydessä, tietäessämme, että hän on rakkaus, voi johtaa tuskalliseen tajuamiseen, että lapsen 'kiveen paiskaaminen' olisi kestämätöntä."[3]

Psalmi 109

Tässä psalmissa kuuntelemme Daavidin ääntä, kun hän oli täynnä vihaa epäoikeudenmukaisen hyökkäyksen vuoksi. Hän oli vihainen. Hän halusi kostoa – maksua, joka yltäisi sen miehen koko perheen yli, joka oli häntä vahingoittanut. Hän haluaa nähdä vahingon palaavan niiden niskoille, joiden hyökkäys on tuonut hänelle itselle tuskaa. Tutkistele vihan sijaa kristityn elämässä.

Psalmi 55

Tässä psalmissa Daavid ilmaisee suuren huolensa ja pelkonsa. Se vaara, jonka kanssa hän on vastakkain, on täyttänyt hänen mielensä niin

---

[3] Ida Glaser: 'We Sat Down and Wept': Biblical Babylon and Israel as Resources for Conflict Situations, The Round Table, Vol 94, No. 382, 641-651, October 2005.

valtavalla pakkomielteenomaisella raivolla, että hän ei pysty ajattele-
maan mitään muuta. Läheinen ystävä on häpäissyt Daavidin luotta-
muksen ja loukannut häntä pahasti. Daavidin halu on paeta kauas vaa-
rasta. Mutta psalminsa viimeisen osan mukaan hän ei pakene erä-
maahan, vaan Jumalan luo. Daavid tietää, että Jumala vastaa hänen
pelkoihinsa jumalallisella läsnäolollaan.

Psalm 69

Psalmeissa kohtaamme jumalallisen hyvyyden kivun keskellä. Psalmi
69 antaa meille hyvän esimerkin tilanteesta, jossa siirrymme kärsi-
myksestä, pelosta ja vihasta ylistykseen ja lepoon. Koska Daavidin nä-
kemys siirtyy hänen omasta kärsimyksestään Jumalaan, näemme lo-
pussa yllättävän mielialan muutoksen – kivusta iloon (jakeet 30 -36).

Psalmi 56

Tämä on toinen psalmi, jossa Daavid tuo pelkonsa Herran eteen.
Psalmissa ilmenee paradoksi: "Kun pelkään, luotan sinuun... luotan
Jumalaan, enkä pelkää." Oletko itse kokenut tällaisen paradoksin elä-
mässäsi?

Psalmi 27

Tässä psalmissa Daavid myöntää, että Jumala on isompi kuin hänen
omat pelokkaat tilanteensa. Tilanteet eivät ehkä muutu, mutta Juma-
lan läheisyydessä ja niiden keskellä meillä voi silti olla rauha.

Psalmi 91

Tämä psalmi opettaa, että vaaran aikoina, kun vaikeat tilanteet ja pa-
hat ihmiset uhkaava meitä, voimme kätkeytyä Jumalan läheisyyteen.

OPPITUNTI 2:
ARMON ASENTEEN KEHITTELYÄ

Tavoite: auttaa osallistujia ymmärtämään Jumalan armon tärkeys Raamatussa ja omassa elämässä ja suhteessa islamiin ja muslimeihin

> **Tehtävä:**
> **Keskustele muiden kanssa ensimmäisen oppitunnin kotitehtävästä: 1:**
> **Rukoukset ja psalmien lukeminen. Mitä opit?**

1   Johdanto

Ensimmäisellä oppitunnilla mietiskelimme omaa asennettamme islamiin ja muslimeihin. Kun tuomme omat kielteisten pelkojemme, ennakkoluulojemme ja huoliemme tunteet Herran eteen, tulee tilaa kasvaa toisenlaiseen asenteeseen, nimittäin armon asenteeseen. Tämä on toisen oppitunnin aihe. Haluamme tutkistella Jumalan armoa Joonan elämässä, ja hänen vastahakoisuuttaan olla armon kanavana.

Haluaisimme auttaa sinua kasvamaan Raamatun ja oman elämän armon ymmärtämisessä ja haluaisimme selittää, miltä muslimeita kohtaan oleva armon asenne näyttää.

> **Tehtävä:**
> **Ota paperia ja kirjoita siihen oma kuvauksesi armosta.**
>
> **Keskustele:**
> **C.S. Lewis sanoi kerran:**
> *"Kristillisyyden ainutlaatuinen erikoispiirre maailman uskontojen seassa on armo"*
> *Oletko samaa mieltä? Selitä vastaustasi.*

2   Armon oppimista Joonan elämästä

"Hän rukoili Herraa, Jumalaansa, kalan sisuksissa ja sanoi: Ahdingossani minä kutsun Herraa avuksi, ja hän vastaa minulle. Tuonelan kohdusta minä huudan apua, ja sinä Herra, kuulet ääneni. (Joona 2:2-3)

Joona oli paennut Jumalaa ja oli Hänen tuomionsa alla. Tästäkin huolimatta hän rukoilee Jumalalta apua. Ja Herra vastasi armollisesti. Ollessaan kalan sisällä Joona ymmärtää riippuvuutensa Jumalan armosta ja huutaa: "Pelastus tulee Herralta." (2:9). Kala symbolisoi Jumalan armoa Joonan elämässä. Syyllisellä henkilöllä ei ole oikeutta armoon. Me, jotka tunnemme hyvin tämän Joonan kertomuksen, olemme usein sokeita Jumalan armon ja laupeuden ulottuvuudesta, jota näemme tässä kertomuksessa. Hän haluaa sydämemme olevan yhtä avoin laupeuteen kuin hänen omansa on. Joonan kertomuksesta opimme kuitenkin, että Joona ei ollut vielä ymmärtänyt tätä opetusta.

"Voi Herra! Enkö minä tätä sanonut, kun olin vielä omassa maassani? Siksihän minä ensiksi lähdin pakoon Tarsisiin. Minä tiesin, että sinä olet anteeksiantava ja laupias Jumala, sinä olet kärsivällinen ja sinun hyvyytesi on suuri. Sinä olet aina valmis luopumaan rangaistuksesta, jolla olet uhannut." (Joona 4:2)

Mitä Joona epäili ja se syy, miksi hän ei totellut Jumalan kutsua mennä Niniveen, tuli todellisuudeksi: Jumala antaa anteeksi Niniveen ihmisille ja paljastaa heille armonsa tuomion sijaan. Tämän kirjan luvussa 4 opimme Jumalan rakkaudesta ja kärsivällisyydestä Joonan kohdalla. Jumala ei ole tyytyväinen pelkkään alistumiseen, jota hän sai Joonan taholta luvussa 3, kun hän saarnasi tuomiota. Jumala haluaa, että Joona oppii tulemaan armolliseksi, koska hänelle Jumala on armollinen. Joonan sydän ei ole vieläkään muuttunut hänen ensimmäisessä luvussa olleen alkuperäisen kutsunsa jälkeen.

Jumala kysyy Joonalta: "Onko sinulla mitään syytä olla suutuksissa?" Jumala kehottaa Joonaa tutkimaan itseään ja oma asennettaan niitä ihmisiä kohtaan, joiden luo Jumala oli hänet kutsunut. Vaikka Joona antaa kauniin teologisen lausunnon (4:2), loppu kappaleesta näyttää, että hyvä teologia ei automaattisesti johdata yhteensopiviin mielen ja sydämen asenteisiin. Sen vuoksi Joonaa pyydetään tutkimaan itseään.

Ajattele tätä: Jos jollakin on syytä olla vihainen niniveläisiä kohtaan, niin Jumalalla, joka vihaa syntiä ja väkivaltaisuutta. Ja kuitenkin hän päätti tarjota armoa ja anteeksiantoa syntisille ja väkivaltaisille ihmisille. Siis, Jumalan kysymys antaa ymmärtää, että kuka Joona luulee olevansa ollessaan vihainen, kun Jumala päätti tuhota Niniven? Joona tietää, että Mooseksen kirjoissa sanotaan, "Koston ja rangaistuksen päivään saakka" (5 Moos. 32:35). Se on Jumalan vastuu, ei Joonan. Joonan ongelma on, että hän haluaa kontrolloida Jumalaa.

Me leikimme Jumalaa, kun jatkamme vihaamme yksilöitä ja ihmisryhmiä kohtaan, joille Jumala on antanut anteeksi, kun otamme käsiimme heidän rankaisemisensa kielteisen asenteellamme, kostonhimoisilla sanoillamme tai jopa vihaisilla, tuhoavilla teoilla. Me juoksemme Jumalan edellä jakaen sitä, mitä luulemme oikeuden olevan. Jumala kysyy meiltä samaa, mitä hän kysyi Joonalta, "Onko tämä sinun oikeutesi?" Ja ainoan oikean vastauksen tulisi olla: "Ei, Herra, se on sinun oikeutesi, ei minun. Minun ei sovi olla vihainen." Niillä, jotka hyötyvät Jumalan laupeudesta, ei ole oikeutta valittaa muille jaetusta suvereenisesta armosta, vaikka he eivät sitä ansaitsisikaan.

Keskustele:
Joonalle oli hyvin vaikeaa olla "armontuoja". Tunnistatko itsesi tästä? Missä tilanteissa sinun on vaikea lähestyä muita armollisesti?

---

3   Armon kuvaus

"Mutta Jumalan armosta olen se mikä olen... (1 Kor. 15:9 -11)

Joku on valmistanut seuraavan akronyymin, mikä ei ole ollenkaan huono armon "määritelmä":

A(nsaitsematon) **R**(akkaus) **M**(eille) **O**(mistettu)

Yksi tutuimmista lyhyistä armon määritelmistä on "Jumalan ansaitsematon suosio". Armon kreikkalainen sana on *charis*. Sen perusidea on yksinkertaisesti "ansaitsematon suosio tai lahja, tai siunaus, joka on annettu vapaasti lahjana eikä koskaan ansiona tehdystä työstä". Heprreankielinen sana, joka käännetään "armo" – sanalla, tarkoittaa 'taipua, nöyrtyä'. Se sisältää ajatuksen 'armollisesta suosiosta' (Ps. 18:35).

Armo on sitä, mitä Jumala tekee ihmiskunnan puolesta Poikansa kautta, ja jota ihmiskunta ei voi koskaan ansaita omalla työllään tai olemalla niin hyvä. Raamatussa Jumalan armoa on kuvattu kirkkaudeksi (Ef. 1:6); runsaana (Apt. 4:33); rikkautena (Ef. 1:7; 2:7); moninaisena (1 Pt. 4:10) ja riittävänä (2 Kor. 12:9). Kun tutkimme Raamatun armokäsitettä, huomaamme kolme asiaa:

1   Armo on osa sitä, kuka Jumala on
2   armo liittyy kaikkiin Raamatun pääoppeihin
3   armon pitää näkyä ja olla tunnistettavissa kristittyjen elämässä.

Katsomme nyt lyhyesti näitä kolmea näkökohtaa.

3. A   Armo on osa sitä, mitä Jumala on

3.A.1   Me löydämme Jumalan armon läpi Raamatun

Uudessa Testamentissa 'Jumalan armo' -termin voi löytää kaksikymmentä kertaa. [4] Tämä ilmaisu osoittaa armon Lähteen. Jumalaa kutsutaan 'Kaiken Armon Jumalaksi' (1 Piet. 5:10), joka hallitsee korkeimpana 'armon valtaistuimella' (Hep. 4:16). Jumalan Henkeä kutsutaan armon Hengeksi. (Hep. 10:28, 29). Evankeliumia kutsutaan 'Jumalan armon evankeliumiksi' (Apt. 20:24). Jumalan Sanaa kutsutaan 'Hänen Armonsa Sanaksi' (Apt. 20:32).

Jumalallisen armon oppi tukee Vanhan ja Uuden Testamentin ajatusta. Vanha Testamentti, kuitenkin vain ennakoi ja valmistaa täydelliseen armon ilmaisuun, joka toteutuu Uudessa Testamentissa. Armo-sanan

---

[4] Luuk 2:40, Apt 11:23, 13:43; 14:26; 20:24; Room. 5:15; 1 Kor. 1:4; 3:10; 15:10; 2 Kor. 1:12; 6:1; 8:1; 9:14; Gal. 2:21; Kol. 1:6; Tiit. 2:11; Hebr. 2:9; 12:15; 1 Piet. 4:10; 5:12

ensimmäinen käyttö näkyy Septuagintan käännöksessä 1 Moos. 6:8, jossa luemme, että... *"Nooa sai HERRAN silmissä armon"*. Yksi Jumalan viimeisimmistä sanoista Raamatussa on armo: *"Hän, joka todistaa tämän, sanoo: "Tämä on tosi, minä tulen pian."* Aamen. (Ilm. 22:20, 21).

3.A.2 Jeesus on Jumalan armon äärimmäisin ilmaisu

Sana tuli lihaksi ja asui meidän keskellämme. Me saimme katsella hänen kirkkauttaan, kirkkautta, jonka Isä ainoalle Pojalle antaa. Hän oli täynnä armoa ja totuutta... Hänen täyteydestään me kaikki olemme saanet armoa armon lisäksi. Lain välitti Mooses, armon ja totuuden toi Jeesus Kristus. (Joh. 1:14, 16, 17).

Kun Paavali kirjoittaa Tiitukselle Kristuksen ensimmäisestä tulemisesta, hän kirjoittaa "Jumalan armo on näet ilmestynyt pelastukseksi kaikille ihmisille." (Tiit. 2:11). Jumalan armo on enemmän kuin jumalainen ominaisuus; se on jumalainen Henkilö, Jeesus Kristus. Jeesus Kristus ei ollut vain lihaksi tullut Jumala, vaan myös oli lihaksi tullut armo. Hän juuri olennaistaa ja ilmentää Jumalan armoa.

3.B Armo liittyy kaikkiin Raamatun pääoppeihin

"Armosta Jumala on teidät pelastanut antamalla teille uskon. Pelastus ei ole lähtöisin teistä, vaan se on Jumalan lahja. Se ei perustu ihmisen tekoihin, jottei kukaan voisi ylpeillä." (Ef. 2:8, 9).

Armo on keskeinen, todellakin, se on kristinuskon varsinainen perustus. Se koskettaa jokaista totuuden alaa tai opetusta jollain tavalla. Jokainen opin kohta liittyy armoon.

Meidät on julistettu vanhurskaiksi Jumalan armon lahjana (Tiit. 3:4-8; Room. 3:21-24). Me olemme pelastetut armon kautta (2 Tim. 1:9; Apt. 15:8-12). Me olemme armosta anteeksisaaneita, lunastettuja, Jumalan omia lapsia (Ef. 1:3-8; Apt. 18:26-28). Meidät on kutsuttu ja valittu armosta (2 Tim. 1:7-10; Gal. 1:6; Gal. 1:13-17; Room. 11:5, 6). Meidän tulevaisuutemme toivo ja ikuinen turvamme lepää armon varassa (2 Tess. 2:15-17); 1 Piet. 1:13-15; Room. 5:1, 2).

Armo on kallis. Ensimmäisessä kirjeessään, jossa apostoli Pietari kirjoittaa paljon armosta (1:2, 10, 13, 2:19, 20; 3:7; 4:10; 5:10, 12), hän muistuttaa lukijoitaan, että meitä ei ole lunastettu katoavalla tavaralla, kuten hopealla ja kullalla, vaan "Kristuksen kalliilla verellä" (1:19).

Mikä ihmeellinen jumalallinen paradoksi – Jumalalle armo oli mittaamattoman kallis ilmaisu ja kuitenkin se on täysin ehdoitta ilmainen jokaiselle ihmiselle. Armo on Jumalan täysin vapaasti tarjoama, mutta kalliisti maksama suopeus!

1 Kor. 15:10 apostoli Paavali kirjoittaa:

Mutta Jumalan armosta minä olen se mikä olen, eikä hänen armonsa minua kohtaan ole mennyt hukkaan." (1 Kor. 15:10).

Tässä todistuksessa näemme erinomaisen esimerkin armon käytännöllisestä soveltamisesta. Jumalan lapsen merkki on, että Jumalan armosta hän on mikä on.

3.C   Armon pitää näkyä ja olla tunnistettavissa elämässämme

"Kun hän (Barnabas) perille tultuaan näki, mitä Jumalan armo oli saanut aikaan, hän ilahtui..." (Apt. 11:23)

Koska armo on niin paljon osa siitä, mitä Jumala on ja koska se on pelastuksemme ja kaikkien hyvien Isältämme saatujen lahjojen perusta, täytyisi olla normaalia, että armolla on keskeinen osa kristittyjen elämässä ja sen tulisi näkyä kaikessa, mitä me olemme ja mitä teemme. Kun Barnabas saapui Antiokiaan, hän **näki** Jumalan armon uskovien elämässä. Apostolit näkivät Jumalan armon Paavalissa, he ojensivat hänelle kätensä yhteistyön merkiksi (Gal. 2:9). Armon tulee olla näkyvissä ja tunnistettavissa elämässämme. Armoa kutsutaan joskus 'rakkaus toimimassa' -termillä. Koska se on saatu Jumalalta ja kun saamme vastaanottaa sitä päivittäin runsain määrin, se muuttaa olemuksemme ja ohjaa tekemisiämme.

Siitä huolimatta, kristittyjä ei aina tunnisteta heidän armostaan.

"Kaksi suurinta syytä herätyskristittyjen tunnepohjaisiin ongelmiin ovat kykenemättömyys ymmärtää, vastaanottaa ja elää Jumalan varauksettomasta armosta ja anteeksiantamuksesta, ja kykenemättömyys antaa puolestaan sitä varauksetonta rakkautta, anteeksiantamusta ja armoa muille ihmisille... Luemme, kuulemme, uskomme hyvään armon teologiaan. Mutta emme elä sen mukaan. Evankeliumin hyvä armon uutinen ei ole päässyt tunteidemme läpi."[5]

Sen vuoksi on hyvä katsoa lyhyesti, mitä Raamattu opettaa meille siitä, miltä armo toiminnassa elämässämme näyttää:

3.C.1 Armo antaa meille voiman elää uudistunutta, jumalallista elämää

"Jumalan armo on näet ilmestynyt pelastukseksi kaikille ihmisille, ja se kasvattaa meitä hylkäämään jumalattomuuden ja maailmalliset himot ja elämään hillitysti, oikeamielisesti ja Jumalaa kunnioittaen tässä maailmassa." (Tiit. 2:11,12)

Näissä jakeissa ja myös Tiituksen kolmannessa luvussa, jakeissa 3-8, Paavali näyttää selvän yhteyden armon opin ja kristittyjen elämän kanssa. Jumalan armon seuraus on muuttunut elämä. Armo tuo pelastuksen, mutta se ei lopu siihen, sillä sen jälkeen armo antaa voiman uskovalle päivittäiseen pyhitykseen. Armo auttaa meitä elämään erilaisesti, hylkäämään jumalattomuuden ja maailman himot, elämään hillitysti, oikeamielisesti ja jumalallista elämää tehden sitä mikä on hyvää (Tiit. 3:8). Kristillinen käyttäytyminen on tehokkainta kristillisen opin saarnaa. Usko ei anna lupaa tehdä niin kuin haluamme, vaan voiman tehdä niin kuin meidän pitäisi.

3.C.2 Armo estää meitä tulemasta katkeriksi ja vapauttaa meidät antamaan anteeksi ja unohtamaan

"Tavoitelkaa rauhaa kaikkien kanssa ja pyrkikää pyhitykseen, sillä ilman sitä ei kukaan ole näkevä Herraa. Pitäkää huoli siitä, ettei yksi-

---

[5] David A: Seamans, *Healing for Damaged Emotions*, (Scripture Press, Victory Books, USA, 1991), 32.

kään hukkaa Jumalan armoa eikä mikään katkeruuden verso pääse kasvamaan ja tuottamaan turmiota, sillä yksikin sellainen saastuttaa monet." (Heb. 12:14, 15).

Armo vapauttaa meidät lainalaisesta asenteesta, mikä aina tuottaa katkeruutta ja saastuttaa monia. Lainalaisuus panee painon sille, mitä meidän täytyisi tehdä Jumalalle, ennen sitä, mitä hän on tehnyt meidän puolestamme Jeesuksessa.

Me tarvitsemme ihmissuhteissamme armoa, joka ilmentyy kärsivällisyytenä, anteeksiantona, alistumisena ja vapauden antaa Jumalan tehdä työtä siinä toisessa ihmisessä. Se vapauttaa sinut yrittämisestä olla Pyhä Henki jonkun toisen elämässä. Armossa kasvaminen auttaa meitä viettämään vähemmän aikaa ja energiaa olla kriittinen ja huolehtia toisten valinnoista, tulla suvaitsevammaksi ja vähemmän tuomitsevaksi.

Armollisen henkilön tuntomerkki on se, että päästää muut irti.

Irtipäästäminen

Irtipäästäminen ei tarkoita, etten välittäisi,
se tarkoittaa, että minä en voi tehdä kaikkea toisen henkilön puolesta.
Irtipäästäminen ei tarkoita eristäytymistä.
Se tarkoittaa, että ymmärrän, että en voi hallita toista.
Irtipäästäminen ei tarkoita,
että en auttaisi, vaan että annan toisen oppia luonnollisesti.
Irtipäästäminen tarkoittaa, että hyväksyn voimattomuuteni,
mikä tarkoittaa, että lopputulos ei ole minun käsissäni.
Irtipäästäminen ei tarkoita, että yritän muuttaa ja syyttää toista
voin vain muuttaa itseni.
Irtipäästäminen ei tarkoita, etten välitä, vaan että huolehdin.
Irtipäästäminen ei tarkoita, etten korjaa, vaan että tuen.
Irtipäästäminen ei tarkoita olemista keskipisteenä järjestämässä kaikkien tekemisiä vaan, että annan toisten järjestää omat tekemisensä.

> Irtipäästäminen ei ole suojelemista,
> vaan se antaa toisen kohdata todellisuuden.
> Irtipäästäminen ei ole kieltämistä, vaan hyväksymistä.
> Irtipäästäminen ei ole nalkuttamista, torumista tai riitelemistä,
> vaan omien puutteideni tutkimista ja korjaamista.
> Irtipäästäminen ei tarkoita, että sopeutan kaiken omiin haluihini,
> vaan että otan joka päivän sellaisenaan.
> Irtipäästäminen ei ole kritisoimista, eikä kenenkään määräämis-
> tä,
> vaan sitä, että yritän tulla siksi, miksi unelmoin voivani tulla.
> Irtipäästäminen ei ole sitä, että kadun mennyttä,
> vaan kasvamista ja elämistä tulevaisuutta varten.
> Irtipäästäminen tarkoittaa, että pelkään vähemmän ja rakastan
> enemmän![6]

3.C.3 Armo muistuttaa meitä olemaan nöyrä.

"Jumala on ylpeitä vastaan, mutta nöyrille hän antaa armon." (Jaa 4:6; 1 Piet. 5:5; Sananl. 3:34)

Nöyryys on sekä asenne että armon seuraus. Jumalan armo auttaa uskovaa ymmärtämään, että omassa luonnollisessa voimassa hän ei voi elää niin kuin Jumala tahtoo, sillä viime kädessä elämämme on yliluonnollista elämistä hengen antamassa voimassa. Tässä armon mahdolliseksi tekemässä elämässä luotamme täysin, jatkuvasti ja aina Jumalaan ja hänen yltäkylläiseen apuunsa.

3.C.4 Armo antaa meille yliluonnollisen voiman kohdata vaikeita tilanteita

Mutta hän on vastannut minulle: "Minun armoni riittää sinulle. Voima tulee täydelliseksi heikkoudessa." (2 Kor. 12:9)

---

[6] Charles R. Swindoll, The Grace Awakening, (Milton Keynes, UK: World Publishing, 1990), 146, 147.

Paavali kirjoittaa, että hänet oli otettu kolmanteen taivaaseen ja hänelle annettiin piikki lihaan, ettei hän korottaisi itseään. Paavali pyysi Herraa kolmesti ottamaan sen piikin pois. Vastauksena Herra sanoi Paavalille, että hänen armonsa riittää. Jos Jumalan armo riittää pelastamaan meidät, eikö se ole riittävä pitämään meistä huolta ja antamaan meille voimaa kärsimysten ja heikkouksien aikana? Jumala sallii meidän tulla heikoiksi niin, että me voisimme vastaanottaa hänen voimansa.

3.C.5   Armo vaikuttaa siihen, miten puhumme

"Suhtautukaa viisaasti ulkopuolisiin, käyttäkää sopivaa hetkeä hyväksenne. Puhukaa aina ystävällisesti, kuitenkin sananne suolalla höystäen. Teidän on tiedettävä, miten kullekin vastaatte." (Kol. 4:5, 6)

Sana "armo" tässä viittaa miellyttävään, herttaiseen, kohteliaaseen, tervehenkiseen, herkkään, hyväntahtoiseen, sopivaan, hellään, rakastavaan ja huomaavaiseen.

Meidän armolliset sanamme heijastavat Kristuksen armoa, joka käyttää meidän ystävällisyyttä vetämään muita hänen pelastavaan armoonsa.

"Kaikki kiittelivät häntä ja ihmettelivät niitä armon sanoja, joita hänen huuliltaan lähti." (Luuk. 4:22)

3.C.6   Armo tekee meidät kykeneväksi antaa itsestämme/itseämme muille

"Veljet, tahdomme teidän tietävän, millaisen armon Jumala on suonut Makedonian seurakunnille." (2 Kor. 8:1)

"Hänellä on meille annettavana runsaasti kaikkia lahjoja, niin että teillä on aina kaikki mitä tarvitsette ja voitte tehdä runsaasti kaikkea hyvää." (2 Kor. 9:8)

2 Kor. 8 ja 9 luvuissa apostoli Paavali kirjoittaa keräyksestä, jota tehtiin Jerusalemin köyhille kristityille ja pakanaseurakunnille. Näissä luvuissa hän käyttää sanaa armo(charis) 10 kertaa. Hän käyttää sitä kristillisen

antamisen synonyyminä, mikä tarkoittaa yksinkertaisesti Jumalan armon virtaamista elämäämme ja elämämme kautta. Jos me todella ymmärrämme ja arvostamme Jumalan armon jakamista syntisille, kuten meille, me haluamme ilmaista sitä armoa jakamalla sitä muiden kanssa. Jumalan armo avaa sydämemme ja kätemme, koska avoimen sydämen haltijalla ei voi olla suljettua kättä. Vaikka konteksti on rahallinen antaminen, uskon, että me voimme soveltaa sitä muunlaiseen antamiseen (esim. aika, energia, rakkaus, huolenpito ja myötätunto). Jumalan kaiken ylittävän armon kautta, me voimme olla anteliaita kaikin tavoin muita kohtaan. Uskovat ovat kanavia, joiden kautta Jumalan armo voi virrata toisten tarpeita varten.

Jos tutkimme armon tärkeyttä Raamatussa ja kristittyjen elämässä, sen ei pitäisi olla yllätys, että alkukirkon jäsenet muistuttivat toisiaan armon tärkeydestä. Tervehdys "Armo ja rauha kanssasi..." ym., olivat ne sitten alkuhuomautuksia tai lopputervehdyksiä, olivat yleisiä tervehdyksiä, joita Paavali ja Pietari käyttivät kirjeissään. (Gal. 1:1; Ef. 1:1; 2Tim. 1:1; 1 Piet. 1:2; 2 Piet. 1:2)

Keskustele:
Tuhlaajapoikavertauksessa (Luuk. **15:11-32) Jeesus antaa meille kauniin kuvauksen Jumalan armosta (*isä* tässä vertauksessa) lapsilleen, ja näyttää myös, kuinka vaikeaa on elää armosta ja jakaa armoa muiden kanssa. Lue vertaus ja keskustele seuraavista kysymyksistä:**

1. **Kuinka isän armo näkyy**
   a) nuorinta poikaa kohtaa; b) vanhinta poikaa kohtaan?

2. **Mitä todistusta näet tässä vertauksessa siitä, että molemmille pojille oli vaikea vastaanottaa armoa.**

3. **Vanhin poika ei ollut valmis olemaan antelias veljelleen. Ymmärrätkö tämän ja tunnistatko tällaisen asenteen omassa elämässäsi?**

---

4   Armon kehittämistä muslimien kohtaamiseen

Olemme nähneet, että armo liittyy siihen, kuka Jumala on ja kaikkeen mitä hän tekee ja siksi sen täytyisi myös olla kristityn tärkeä ominaispiirre. Nyt haluamme soveltaa, mitä olemme oppineet armosta asenteeseemme islamia ja muslimeita kohtaan. Pelon, epäilyksen, ennakkoluulon sijaan, vastauksemme islamia ja muslimeita kohtaan täytyisi olla armon asenne.

Steve Bell määrittelee armo-vastauksen näin:

Armo-vastaus on... "halu muuttaa aivojemme perusmekanismia, joka saa meidät pelkäämään tuntematonta toisessa henkilössä; olemaan valmis vapauttamaan mieluummin kuin tuomitsemaan ja yrittämään löytää syyn siihen miksi he käyttäytyvät niin kuin käyttäytyvät."[7]

Armo-vastaus muslimeita kohtaan sisältää seuraavat kuusi tekijää:

4.1   Sovella kultaista sääntöä

Vuorisaarnassa Jeesus rohkaisee seuraajiaan:
"Kaikki, minkä tahdotte ihmisten tekevän teille, tehkää te heille. Tässä on laki ja profeetat." (Matt. 7:12)

1)   Arvostele islamia reilusti
Jos meidän täytyy arvioida islamia, meidän täytyy käyttää samaa kritisismin kriteeriä, jota haluamme käytettävän meistä. Meidän ei pitäisi verrata pahinta islamissa kristinuskon parhaimman kanssa. Esimerkiksi muslimien väkivallankäytön vertaaminen Jeesuksen sanoihin: "tulin tuomaan rauhaa"; tai Muhammedin avioliittojen vertaaminen raamatulliseen avioliittokäsitykseen.

2)   Ole tietoinen kristinuskon menneistä virheistä
Kirkon historiasta löydämme monia väkivaltaisia tekoja ja muita kauheita asioita, joita on tehty kristinuskon nimissä. Tietoisuus tästä, voi

---

[7] Steve Bell, Grace for Muslim? The journey from fear to faith, (Milton Keynes: Authentic Media, 2006), page 1.

saada meidät armollisemmaksi muslimeita kohtaan, koska "lasitaloissa asuvien ihmisten ei pitäisi heittää kiviä".

3) Tarkastele muslimin aikomusta

Kun tarkastelemme niitä perusasioita, joissa islam on eri mieltä kristinuskon kanssa, saatamme kysyä itseltämme, mikä oli Muhammedin alkuperäinen aikomus jokaisessa näistä ristiriitaisuuksista ja kuinka sen oli tarkoitus ohjata muslimia. Esim. monet muslimit huomauttavat, että Muhammedin tarkoitus oli parantaa naisen asemaa, verrattuna siihen, mitä se oli hänen aikaisessa maailmassaan.

Myös, kun puhumme muslimeista omissa maissamme, me usein oletamme, että tiedämme heidän aikomuksensa, sen sijaan, että kysyisimme heiltä siitä.

4) Vältä stereotyyppien tekemistä

Stereotyypit kategorisoivat ihmisiä ja alentavat monimutkaiset tilanteet niiden yksinkertaisimpiin muotoihin ilman, että ymmärrettäisiin koko kuvaa. Stereotyypit tekevät yksilöistä persoonattomia. Meidän tulisi olla varovaisia, ettemme lue muutaman muslimin mielipiteitä ja käyttäytymisiä kaikkien muslimien mielipiteiksi.

4.2 Musliminaapurin rakastaminen kuin itseämme

Israelin kansalle annettiin ohjeita, kuinka kohdella naapureita, vierasmaalaisia keskuudessaan ja vihollisia. Heitä kehotettiin rakastamaan naapureita kuin itseään (3. Moos. 19:18), rakastamaan vierasmaalaisia kuten itseään (2. Moos. 19:34) ja Jeesus rohkaisee seuraajiaan rakastamaan vihollisiaan (Matt. 5:44). Kristittyjä rohkaistaan miettimään Jumalan asennetta naapureita, vierasmaalaisia ja vihollisia kohtaan.

Tämä, mm. tarkoittaa: älä kohtele väärin tai sorra heitä, yritä ymmärtää heitä (2. Moos. 22:21, 23:9); ole heille ystävällinen, kun he ovat vaikeuksissa (2 Moos. 23:4, 5), siunaa heitä, älä kosta, vaan tee heille hyvää (Room. 12: 14 -21; Sananl. 25:21, 22).

4.3   Älä anna väärää todistusta musliminaapuristasi

Yksi kymmenestä käskystä on, että meidän ei pitäisi antaa väärää to-
distusta muista ihmisistä. (2. Moos. 20:16). Kun sovellamme tätä isla-
miin, se tarkoittaa, että kun puhumme islamista, meidän täytyisi olla
niin totuudenmukaisia kuin mahdollista. Joskus pelko saattaa johtaa
ihmisiä liioittelemaan tilanteita (esim. 4. Moos. 13, jossa kymmenen
vakoojaa liioitteli negatiivista käsitystään Kaanaasta estääkseen Isra-
elin kansaa menemästä sinne). Periaatteessa islam on sitä, mitä mus-
limi sanoo sen olevan. Meidän täytyisi olla varovaisia, tulkitessamme
Koraania, ettemme ota jakeita pois niiden yhteydestä tai olla ottamat-
ta huomioon, kuinka muslimioppineet ovat tulkinneet tai tulkitsevat
näitä jakeita. Meidän täytyisi olla valmiita kuuntelemaan muslimeita ja
oppia näkemään maailma heidän silmiensä kautta.

4.4   Halu tunnustaa islamin positiiviset piirteet

1 Moos. 20:1-18 jakeissa Aabraham, joka ajatteli, että 'tällä seudulla
varmaankin jumalanpelko on tuntematon', huomaa, että joillakin ih-
misillä Israelin kansan ulkopuolella (esim. Abimelek, Gerarin kuningas)
oli todellinen kunnioitus Jumalaa kohtaan ja he pystyivät jopa kuule-
maan ja vastaamaan suoraan yhteyteen Jumalalta.

Toinen armo-vastauksen kohta muslimeita kohtaan on meidän ha-
lumme tunnustaa joitakin positiivisia näkökohtia islamista, Muham-
medista, islamilaisesta sivilisaatiosta, historiasta ja kulttuurista. Mei-
dän täytyisi pystyä oppimaan muslimien ja islamin hyvistä ominaispiir-
teistä. Meidän täytyisi pystyä oppimaan muslimeilta omaa jumalasuh-
dettamme varten. Meidän pitäisi etsiä jälkiä (kaikuja) Jumalan armos-
ta islamissa. Meidän täytyisi pystyä ymmärtämään, mikä tekee islamis-
ta puoleensavetävän ja järkeenkäyvän uskonnon miljoonien ihmisten
silmissä.

4.5   Kyky nähdä muslimi ihmisinä

Jumalan armo auttaa meitä näkemään muslimit ihmisinä, joilla on
tietty uskonto, ei vain uskonnollisen oppirakennelman edustajina. On

tärkeää, että näemme "huntu" -leiman ohi äidin, jonka nimi on Samira. Että ymmärrämme laajemmin "muslimi" -termin nähdäksemme Hassanin, joka on työteliäs isä. Että näemme "muslimimaahanmuuttaja" -termin ohi nuoren pojan tai tytön, Hossainin tai Khadijan, joilla on suuria toiveita tulevaisuudestaan tai, että ymmärrämme niitä pelkoja vihaisen ja fundamentalistisen muslimin Samirin takana.

Löytäkäämme ystävä muslimissa.

4.6   Tunnusta, että jotkut Raamatun lupauksista voivat soveltua muslimeihin

Arabimaailmassa on laajalti tunnustettu traditio, joka yhdistää Ismaelin ja hänen jälkeläisensä arabeihin yleisesti ja arabi-muslimeihin erikoisesti. Tony Maaloufin kirjan Arabs in the Shadow of Israel (Arabit Israelin varjossa) mukaan "vanhemmat muistiinpanot selvästi liittävät muinaiset pohjois-arabit Ismaeliin" ja "Ismaelista oli tullut suuri symboli pohjois-arabien heimojen keskuudessa ensimmäiseen Kristuksen jälkeiseen vuosisataan mennessä."[8]

Tämän valossa on tärkeää olla tietoinen näistä lupauksista, joita Jumala on antanut Ismaelin jälkeläisille. 1 Moos. 17:20 jakeessa vastauksena Aabrahamin rukoukseen Jumala lupaa siunata Ismaelia. Iisakin valinta (ja Israelin) ei automaattisesti erota Ismaelia ja hänen jälkeläisiään Jumalan hengellisestä ja aineellisesta huolenpidosta. Raamatussa Jumala kohtelee Haagaria ja Ismaelia armollisesti. 1 Moos. 25:13 -18 jakeissa on lista Ismaelin poikien nimistä, kuten **Nebajot** ja **Kedar**.

Raamatussa on useita profeetallisia viitteitä Arabian heimoihin, Ismaelin jälkeläisiin:

"Laulakaa Herralle uusi virsi, maan ääristä alkaen laulakaa hänen ylistystään, te merenkulkijat ja itse meri, kaikki mitä siinä on, saaret ja rannikot, kaikki niiden asukkaat! Antakoot äänensä kuulua aavikko ja sen kaupungit ja leirit, joissa Kedarin heimo asuu! Riemuitkoot Selan

---

[8] Tony Maalouf, Arabs in the Shadow of Israel, (Grand Rapids MI: Kregel Publications, 2003), 45.

---

rinteiden asukkaat, vuorten laelta he huutakoot iloaan! Antakoot he Herralle kunnian, kertokoot hänen ylistystään kaukaisille rannoille" (Jes. 42: 10 -12)

"Kun sinut peittää kamelien paljous, Midianin ja Efan kamelintammojen vyöry. Koko Saban väki saapuu, kultaa ja suitsuketta kantaen, ja kaikki he ylistävät Herraa. **Kedarin** *laumat kerätään sinun luoksesi,* **Nebajotin** *pässit ovat sinun, niitä uhrataan otollisina uhreina minun alttarillani. Niin minä kirkastan asumukseni loiston." (Jes. 60:6-8)*

Useiden alkukirkon vanhempien mukaan (esim. Justin Marttyyri) tietäjät, jotka tulivat Idästä ylistämään Juutalaisten Kuningasta, olivat ilmeisimmin Arabeja.

> "Tietäjien antamat lahjat juutalaisten kuninkaalle edustivat arabialaisia rikkauden lähteitä, joilla ei ollut vertaa. Arabit olivat suitsutuksen ja kullan päätuottajia ennen Kristusta. He lahjoittivat 30 tonnia olibaanihartsisuitsutusta Persian kuninkaalle joka vuosi lojaalisuuden merkkinä. Jesajan luvussa 60:1-7 oleva profetia ennusti ensisijaisesti Arabikansojen rikkauksien siirtymisen Messiaalle Jerusalemissa Israelin kansan messiaanisen ajan alussa. Siten tulee luonnolliseksi, että arabitietäjät osoittivat alamaisuutta Kuninkaiden Kuninkaalle."[9]

Arabitietäjät saattavat olla tulevan sadonkorjuun ensihedelmä. Jumala tekee työtään muslimimaailmassa. Muslimeista tulee Jeesukseen uskovia ympäri maailmaa. Jumala paljastaa itsensä heille unissa ja näyissä. Seurakunta kasvaa monessa muslimimaailman osassa.

Profeetta Jesaja puhui **Kuusin** maata/heimoa vastaan. Nykyajan oppineet ovat identifioineet Kuusin arabialaiseksi heimoksi, ehkä alueella, joka on nykyään Pohjois-Sudan. Jesaja kuvaa heitä *"kookaskasvuisena, kiiltäväihoisena kansana, jota pelätään lähellä ja kaukana, oudosti ääntelevänä, jalkojaan tömistävänä kansana, jonka maata virrat huuhtovat mukaansa."* (Jes. 18:2).

---

[9] Maalouf, 218.

Hän päättää profetiansa kauniilla lupauksella, nimittäin, että nämä samat ihmiset, joita pelättiin niin paljon, tuovat lahjoja Herralle Sebaotille, Herran Sebaotin nimen paikkaan:

"Tulee aika, jolloin Herralle Sebaotille lähettää lahjoja kookaskasvuinen ja kiiltäväihoinen kansa, kansa, jota pelätään lähellä ja kaukana, oudosti ääntelevä, jalkojaan tömistelevä kansa, jonka maata virrat huuhtovat mukaansa. Ja tämän kansan lahjat tuodaan paikkaan, jonka pyhittää Herran Sebaotin nimi: Siionin vuorelle. (Jes. 18:7)

Voimmeko uskoa, että ne, jotka nostattavat pelkoa tällä hetkellä niin monissa sydämissä, esim. äärimuslimit, voivat tulla ihmisiksi, jotka tuovat kunnianosoituksen lahjoja Herralle Sebaotille?

Kotitehtävä

1. **Ennen seuraava oppituntia lue Tuhlaajapoikavertaus (Luuk. 15:11 -32) useita kertoja läpi. Kuka kolmesta henkilöstä (isä, nuorempi veli tai vanhempi veli) kuvastaa sinua? Miten nämä henkilöt kokivat armon ja millä tavoin sinä voisit kasvaa isän kaltaiseksi erityisesti armon jakajana?**

2. **Yhdistä tämä Franciscus Assisilaisen rukous omiin rukouksiisi tulevalla viikolla.**

Franciscus Assisilaisen rukous

*Vapahtaja, tee minusta rauhasi välikappale,
niin että sinne, missä on vihaa, toisin rakkauden;
missä erehdystä, osoittaisin totuuden,
missä epäilystä, auttaisin uskoon,
missä epätoivoa, nostaisin luottamukseen,
missä pimeyttä, loisin sinun valoasi,
missä surua, virittäisin ilon ja lohdutuksen.*

*Niin että, oi Mestari, en yrittäisi niin paljon
etsiä lohdutusta kuin lohduttaa muita,
hakea ymmärtämystä kuin ymmärtää toisia,
pyytää rakkautta kuin rakastaa muita,*

> *sillä antaessaan saa, kadottaessaan löytää,*
> *unohtaessaan saa anteeksi,*
> *kuollessaan nousee iankaikkiseen elämään.*

Franciscus Assisilaisen tausta

Pyhimys Franciscus Assisilainen (1182-1226) oli italialainen katolinen munkki ja saarnaaja. Hän perusti fransiskaaniveljeskunnan. Kun risti-retkeläiset menivät Lähi-itään taistelemaan muslimeita vastaan asein, Franciscus kuljeskeli ympäri Lähi-idän seutuja armon apostolina. Hän mm. saarnasi evankeliumia Sulttaanille, muslimiarmeijan kenraalille. Steve Bell kuvaa Franciscusta "kristityksi, joka tasapainotteli poliittista realismia armollisen asenteen kanssa muslimeita kohtaan."[10]

Christine A Mallouhin (kirjassaan Waging Peace on Islam – Rauhan-käymistä islamia vastaan) mielestä Franciscus on esimerkki siitä, kuin-ka olla yhteydessä muslimien kanssa aikoina, jolloin meidän välilläm-me on vihamielisyyttä.[11] "Kun Franciscus Assisilaisen rukous tulee vas-tatuksi meidän kauttamme, silloin huomaamme olevamme kykeneviä 'kestämään kaiken, uskomaan kaikissa tilanteissa, toivomaan kaikissa tilanteissa' (1 Kor. 13:7). Tämä on raamatullinen vastaus, mieluummin kuin inhimillinen reaktio muslimeihin."[12]

---

[10] Steve Bell, Grace for Muslims?, 5.

[11] To learn more about Francis of Assisi and what we can learn from him in our contact with Muslims, I suggest you read Christine's book. Christine A. Mallouhi, Waging Peace on Islam (London, Monarch Books, 2000)

[12] Steve Bell, Grace for Muslims?, page 7.

OPPITUNTI 3:
MUSLIMIEN YMMÄRTÄMINEN

Tavoite: Tutustua moniin tärkeisiin islamin uskon ja käytännön piirteisiin

1 Johdanto

Olemme tarkastelleet asennettamme ja tunteitamme liittyen islamiin ja muslimeihin ja alamme oppia lähestymään muslimeita armon asenteella. Nyt me olemme paremmassa asemassa vastaanottaa tarkkaa tietoa islamista ja muslimeista. Edellisillä oppitunneilla opimme, että eräs armon asenteen piirre on tutkia islamia muslimin silmin. Tämän vuoksi tämän oppitunnin sisältö on pantu kokoon käyttäen muslimien lähteitä.[13] Tästä oppitunnista on myös keskusteltu imaamin kanssa.

2 Joona islamissa[14]

Edellisellä oppitunnilla tutkimme profeetta Joonaa raamatullisesta näkökulmasta. Tällä oppitunnilla haluamme saada selville, mitä islam opettaa Joonasta. Islamilaisen perimätiedon mukaan, profeetta Joonan hauta (nk. 'nabi Yunus' arabiaksi) on tämänpäivän Mosulissa, 400 km pohjoiseen Bagdadista Irakissa. Nk. Yunus-moskeista voi löytää Joonan haudan, joka on koristettu valaan luin.

A Viittauksia Joonaan Koraanissa

Joonan nimi/kertomus löytyy seuraavista Koraanin jakeista:

suura (luku) 4:163, suura 10:98-100; suura 21:87, 88; suura 37:138-148; suura 68:48-50.

---

[13] Esim. Islam: A brief Guide, The Muslim Educational Trust, UK.
[14] Otettu: http://www.angelfire.com/on/ummiby1/jonah.html ja http://etext.virginia.edu/journals/ssr/issues/volume3/number1/ssr03-01-e02.html

---

Suura 10 nimi on Joonan suura. Suurassa 21:87-90 Joonaa kutsutaan Kalamieheksi ja suurassa 68:48-50 häntä kutsutaan mieheksi valaan sisällä.

Odota kärsivällisesti Herrasi tuomiota, äläkä ole niin kuin kalan niele-mä mies, joka huusi murtuneena Jumalaa. Ellei hänen Herransa armo olisi häntä kohdannut, hänet olisi heitetty luodolle halveksittuna. Hänen Herransa kuitenkin valitsi hänet ja asetti hänet hurskaiden joukkoon. (Suura 68:48-50)

Mainitse myös Dhun-Nun, joka kulki vihaisena ja luuli, että meillä ei olisi valtaa häneen, mutta pimeydessä hän huusi: "Ei ole muuta jumalaa kuin Sinä. Ylistys Sinulle. Minä tein väärin." Me vastasimme hänelle ja pelastimme hänet murheesta. Näin me pelastamme uskovat. (Suura 21:87, 88)

Joona oli profeetta. Hän pakeni lastattuun laivaan, ja löi arpaa, mutta hävisi, ja kala nielaisi hänet, moitteenalaisen. Ellei hän olisi ylistänyt Jumalaa, hän olisi saanut viipyä kalan vatsassa ylösnousemuksen päivään asti. Me heitimme hänet kalliolle sairaana ja annoimme hänen vierelleen kasvaa kurpitsaköynnöksen. Me lähetimme hänet sadantuhannen tai useamman ihmisen luo, ja he uskoivat, ja me annoimme heidän nauttia jonkin aikaa. (Suura 37:139-148)

Miksi kaupunkien asukkaat eivät uskoneet; olisihan heidän uskonsa hyödyttänyt heitä? Vain Joonan kansa uskoi, ja me päästimme heidät häpeällisestä rangaistuksesta tässä maailmassa ja annoimme heidän nauttia jonkin aikaa. Mutta jos Herrasi niin tahtoisi, uskoisi jokainen, joka on maassa, joka ainoa. Voitko sinä pakottaa ihmiset uskomaan vastoin tahtoaan? Ei yksikään sielu voi uskoa kuin Jumalan luvalla, ja Hän asettaa vihansa niiden päälle, jotka eivät ymmärrä. (Suura 10: 98-100)

B   Yhteenveto islamin opetuksesta Joonasta

Näiden jakeiden perusteella ja myös joidenkin Islamin perimätietojen (Hadith, kirjoitukset Muhammedin sanoista ja teoista) mukaan, voimme koota yhteen islamilaisen opetuksen Joonasta näin:

Joona oli profeetta, jonka Jumala lähetti oman kansansa luo Niniven kaupunkiin. Niniven asukkaat olivat epäjumalanpalvojia, ja elivät hävytöntä elämää. Joona lähetettiin opettamaan heitä palvelemaan Allahia. Ihmiset eivät pitäneet hänen sekaantumisestaan heidän laiseensa jumalanpalvelukseen, joten he alkoivat riidellä. "Me ja esi-isämme olemme palvelleet näitä jumalia monia vuosia eikä meille ole tullut siitä mitään harmia." Vaikka hän yritti kaikkensa vakuuttaakseen heitä epäjumalanpalveluksen tyhmyydestä ja Allahin lakien hyvyydestä, he eivät välittäneet. Hän varoitti heitä, että jos he jatkoivat tyhmyydessään, Allahin rangaistus seuraisi pian. Sen sijaan, että he ollsivat pelänneet Allahia, he kertoivat Joonalle, että he eivät olleet peloissaan hänen uhkaustensa edessä. Joona masentui ja lähti Ninivestä, peläten, että kohta seuraisi Allahin viha.

He olivat tuskin jättäneet kaupungin, kun taivaat alkoivat vaihtaa väriään ja näytti siltä, kuin ne olisivat olleet tulessa. Ihmiset täyttyivät pelolla tämän näyn edessä. Heidän muistiinsa palautui Noan aikainen ihmisten tuho. Kaikki kokoontuivat vuorelle ja alkoivat anoa Allahilta armoa ja anteeksiantoa. Allah poisti vihansa ja taas kerran siunasi heitä runsaasti. Kun tämä uhkaava myrsky oli poistunut, he rukoilivat, että Joona palaisi niin, että hän voisi johtaa heitä.[15] Sillä aikaa Joona oli noussut pieneen laivaan muiden matkustajien kanssa. Se seilasi koko päivän tyynessä vedessä. Kun tuli yö, meri muuttui yhtäkkiä. Kauhea myrsky heitteli sitä niin, että se melkein murtui paloiksi. Laivan päämies pyysi laivaväkeä keventämään laivan raskasta lastia. He heittivät matkatavaransa yli laidan, mutta se ei riittänyt. Heidän turvansa oli siinä, että lastia kevennettäisiin vielä lisää, joten he päättivät keskenään keventää lastiaan poistamalla ainakin yhden henkilön. Kapteeni käski: "Me heitämme arpaa kaikkien matkustajien nimistä. Se, jonka nimi nostetaan, heitetään yli laidan." Arpaa heitettiin ja se osui "Joona" -nimelle. Koska he tiesivät hänet kaikista kunnioittavimpana

---

[15] Razin Koraanin kommentaarin mukaan, Joonan kansa muuttui Asjurah päivänä (paastopäivänä). (Juutalaisessa synagogassa Av, Tisja Ba'av-kuun 9 päivänä, paastopäivänä, iltapäivän rukousten aikana luettavat jakeet ovat Joonan kirjasta.

miehenä, he eivät halunneet heittää häntä yli laidan vihaiseen mereen. Sen vuoksi, he päättivät arpoa uudelleen. Jälleen se osui Joonan nimelle. He antoivat hänelle viimeisen mahdollisuuden ja heittivät kolmannen arvan. Valitettavasti Joonalle, se osui jälleen hänen nimelleen. Asia oli hoidettu ja päätettiin, että Joonan täytyisi itse heittäytyä laidan yli. Valas löysi Joonan kellumassa edessään laineilla. Se nielaisi Joonan hurjaan vatsaansa ja sulki voimakkaat hampaansa hänen peräänsä. Hän oli nyt kolmen pimeyskerroksen ympäröimä, yksi toisensa päällä; valaan vatsan pimeys, meren pohjan pimeys ja yön pimeys. Joona rukoili Allahia. Allah näkin Joonan vilpittömän katumuksen ja kuuli hänen pyyntönsä valaan vatsassa. Valas sylkäisi Joonan kaukaiselle saarelle. Hänen vartalonsa oli tulehtunut valaan vatsan hapoista. Hän oli sairas, ja kun aurinko nousi, sen säteet polttivat Joonan ruumista niin, että hän melkein huusi kivusta. Hän kuitenkin kesti kivun ja jatkoi rukoustaan Allahille. Allah antoi köynnöksen kasvaa hyvin pitkäksi hänen suojakseen. Sitten Allah antoi Joonan toipua ja antoi hänelle anteeksi. Pikkuhiljaa hän sai voimansa takaisin ja löysi takaisin kotikaupunkiinsa, Niniveen. Mieluisasti yllättyneenä hän huomasi muutoksen, joka oli tapahtunut. Koko kaupungin väki tuli toivottamaan hänet tervetulleeksi. He kertoivat hänelle, että he olivat taas ruvenneet uskomaan Allahiin. Yhdessä he järjestivät kiitosrukouksen Armolliselle Herralleen.

C   Joona Muslimin elämässä tänään

Monelle muslimille tänään Joona on henkilö, johon voivat samaistua:

a. Eräs muslimiopiskelija kirjoitti internetissä, että jos joku haluaa päästä tentin läpi, hänen täytyisi lukea Joonan rukous, kun hän oli valaan sisällä.

b. Vastatessaan kahden muslimitytön kysymykseen, olisiko heillä lupa karata kotoa, netti-imaami kirjoittaa, että karkaaminen on myös aihe, joka löytyy Koraanista ja hän viittaa Joonaan ja kirjoittaa: "Profeetta Joona yritti karata 'kotoaan' (joka oli paikka, jonne Jumala oli lähettänyt hänet). Rangaistuksena Allah antoi valaan syödä Joonan. Joona vietti 40 päivää valaan vatsassa. Allah antoi hänelle anteeksi ja Joona sai uuden elämän.

c.   Erään imaamin saarnassa Joona mainitaan esimerkkinä henkilöstä, joka syvässä pimeydessä oli valmis alistumaan (mitä 'islam' tarkoittaa) Jumalalle.

Keskustele
1.   **Mikä sinun mielestäsi on tärkeätä, kun vertaat raamatullista kertomusta Joonasta Koraanin kertomukseen ja islamilaiseen perimätietoon?**
2.   **Kuinka selität samankaltaisuudet ja erot?**

USEITA ISLAMIN PIIRTEITÄ

1   Islamin alku

Vaikka islam itsenäisenä uskontona alkoi kuudennella vuosisadalla jKr., muslimien mukaan se on paljon vanhempi. Suurassa 3:67 luemme: *Aabraham ei ollut juutalainen eikä kristitty, vaan hän oli eräs, joka kallistui totuutta kohti, muslimi [joka alistui Allahille]. Hän ei myöskään ollut monijumalinen.*

Islam tarkoittaa alistumista ja muslimi on 'se, joka alistuu' Jumalalle. Aabrahamia pidetään Profeettojen Isänä ja monet muslimit uskovat, että he ovat Aabrahamin jälkeläisiä hänen poikansa Ismaelin kautta. Ismaelilla on tärkeä osa islamilaisessa perimätiedossa.

2   Muhammedin persona

Muhammed syntyi v. 571 Mekassa (tämän päivän Saudi Arabiassa). Hänen isänsä kuoli ennen hänen syntymäänsä ja hänen äitinsä kuoli, kun hän oli 6-vuotias. Kun Muhammed oli 25-vuotias, hän meni naimisiin Khadija-lesken kanssa. Muslimien mukaan, hänen ollessaan 40-vuotias, hän alkoi saada ilmestyksiä Jumalalta (Allahilta). Hän oli vakuuttunut, että hän seisoi profeettojen, kuten Mooseksen, Daavidin ja

---

Jeesuksen, jalanjäljissä ja että häntä viimeisenä profeettana, kuten heitä, oli pyydetty kutsumaan ihmisiä palvelemaan yhtä ja ainoaa, oikeata Jumalaa. Mekkalaisilla oli tapana palvella monia jumalia. Muhammed kutsui heitä islamin (alistumaan Jumalalle) puoleen. Useita ihmisiä liittyi häneen ja heistä tuli muslimeita, kun taas monet olivat häntä vastaan. Pikkuhiljaa seuraajien määrä lisääntyi. Aluksi Muhammed ja hänen seuraajansa kohtasivat paljon vastustusta mekkalaisilta. Ja 12 vuoden jälkeen (622 jKr.) Muhammed ja hänen seuraajansa muuttivat Yathribin kaupunkiin (sitä ruvettiin myöhemmin kutsumaan 'Medina' -nimellä ja se tarkoittaa 'Profeetan kaupunkia'). Se, että tällä muutoksella on tärkeä vaikutus islamiin näkyy siinä, että islamilainen kalenteri alkaa tästä tapahtumasta. Yathribissa Muhammed ja hänen seuraajansa vastaanotettiin vieraanvaraisesti ja pian sen jälkeen, Muhammedista tuli ei pelkästään kaupungin hengellinen johtaja, vaan myös poliittinen johtaja ja hän perusti ensimmäisen muslimivaltion. Tämän jälkeisinä vuosina hänen seuraajiensa määrä kasvoi nopeasti. Muhammed, jota Koraanissa kutsutaan 'ihmiskunnan siunauksena' (21:107) ja 'hyvänä esimerkkinä, jota seurata' (33:21) kuoli v. 632 jKr. 63-vuotiaana. Hänen kuolemansa jälkeen hänen saamansa ilmestykset koottiin kirjaksi, Koraaniksi. Hänen sananpartensa ja esimerkkinsä koottiin kirjasarjaksi, jota kutsutaan Sunnahiksi.

3   Islamin leviäminen

Kun Muhammed kuoli v. 632 jKr. muslimit asuivat enimmäkseen Saudi Arabiassa, mutta seuraavina vuosina islam levisi pohjoiseen (Syyriaan, Jordaniaan), itään (Iraniin ja Irakiin) ja länteen (Egyptiin, Algeriaan). Noin v. 750 jKr. koko Pohjois-Afrikka ja jopa Espanja olivat islamilaisen hallinnan alla. Noin 1500 muusta alueesta Afrikassa ja Aasiassa oli tullut islamilaisia ja myös Indonesia oli osa tätä islamilaista maailmaa. 14. vuosisadalla islamilainen Ottomaani-valtakunta alkoi Turkissa. Tällä valtakunnalla on ollut suuri vaikutus Lähi-itään ja Keski-Eurooppaan vuosisatoja ja on osaltaan edistänyt islamin vahvistusta Keski- ja Itä-Euroopassa, esim. Albaniassa ja Bosniassa.

Tällä hetkellä islam on pääuskonto 40 maassa. Kaikista muslimeista arabeja on noin 20 %. Monia muslimeita on Indonesiassa (196 milj.), Pakistanissa (166 milj.), Bangladeshissa (150 milj.), Intiassa (150 milj.), Nigeriassa (70 milj.), Turkissa (70 milj.) ja Iranissa (68 milj.). Euroopassa (sisältää Venäjän) on noin 50 milj. muslimia.

4   Mitä muslimit uskovat

Uskon opettaminen islamissa sisältää usein kuusi uskonkappaletta, nimittäin:

1) Allah (Jumala)
2) enkelit
3) Jumalan kirjat
4) Profeetat
5) Viimeinen Päivä
6) Ennaltamääräys

Viisi näistä on mainittu suurassa 2:177 "... *hurskautta on uskoa Jumalaan, viimeiseen päivään, enkeleihin, Kirjaan ja profeettoihin...*".

Kolme islamin perususkomusta on:

a) *Tawhid* – Jumalan ykseys
b) *Risalah* – profeetallisuus
c) *Akhirah* – elämä kuoleman jälkeen

a   Tawhid

Tawhid on islamin tärkein uskomus. Muslimit uskovat, että kaikki, mitä on, saa alkunsa yhdestä ja ainoasta Luojasta, joka on Ylläpitäjä ja ainoa Ohjauksen Lähde. Tämän uskomuksen pitäisi kattaa kaikki ihmiselämän puolet. Tämän perustotuuden tunnustaminen tuo yhtenäisen elämänkatsomuksen, joka hylkää jaon uskonnollisen ja sekulaarin välillä. Jumala (Allah) on ainoa Voiman ja Auktoriteetin lähde, ja ylistettävä ja toteltava. Hänellä ei ole puolisoa; *Tawhid* on puhdasta yksijumalisuutta. Allah ei ole syntynyt, hänellä ei ole poikaa eikä tytärtä. Ihmiset ovat hänen alamaisiaan. Hän on Yksi; hän on Ikuinen; hän on

Ensimmäinen ja Viimeinen; eikä ole ketään niin kuin hän. Usko *Tawhidiin* tuo täydellisen muutoksen muslimin elämään. Se saa hänet kumartamaan vain Allahin puoleen, joka näkee kaikki hänen tekonsa. Hänen täytyy tehdä työtä Allahin lakien vakiinnuttamiseen kaikilla elämänalueillaan, että hän saavuttaisi Allahin mielihyvän.

b   Risalah

Risalah tarkoittaa profeettautta tai sanansaattajuutta. Muslimit uskovat, että Jumala (Allah) ei ole jättänyt ihmistä ilman Opastusta siitä, kuinka elää elämänsä. Ensimmäisen ihmisen luomisesta saakka Allah on paljastanut ohjeensa ihmiskunnalle profeettojensa kautta. Profeettoja, jotka saivat kirjat Allahilta, kutsutaan sanansaattajiksi. Kaikki profeetat ja sanansaattajat tulivat saman sanoman kanssa; he kehottivat oman aikansa ihmisiä tottelemaan ja palvelemaan yksin Allahia eikä ketään muuta. Aina kun ihmiset vääristelivät profeettojen opetuksia, Allah lähetti toisen profeetan tuomaan heidät takaisin Suoralle Polulle. *Risalah*-ketju alkoi Aatamista, sisältää Noan, Aabrahamin, Ismaelin, Iisakin, Lootin, Jaakobin, Joosefin, Mooseksen, Daavidin ja Jeesuksen, ja päättyi Muhammediin. Muhammed on Allahin viimeinen sanansaattaja ihmiskunnalle.

Allahin ilmoittamat kirjat ovat Toora (Towrat), Psalmit (Zabur), Evankeliumi (Injil) ja Koraani. Koraani, joka ilmestyi Profeetta Muhammedille, on viimeinen Ohjekirja.

c   Akhirah

Akhirah tarkoittaa elämää kuoleman jälkeen. Uskolla *Akhiraan* on syvä vaikutus muslimin elämään. Muslimit uskovat, että me olemme kaikki tilivelvollisia Jumalalle Tuomiopäivänä, jolloin meidät tuomitaan sen mukaan, kuinka me olemme eläneet elämämme. Se, joka tottelee ja ylistää Allahia saa palkaksi onnellisuuden paikan Paratiisissa; se, joka ei näin tee, lähetetään helvettiin, rangaistuksen ja kärsimyksen paikkaan. Allah tietää kaikki ajatuksemme ja sisäiset aikomuksemme; enkelit kirjoittavat muistiin meidän kaikki tekomme. Jos me aina pidämme mielessämme, että meidät tuomitaan teoistamme, yritämme varmistaa, että teemme Allahin Tahdon mukaan. Muslimit uskovat, että monet tämänpäivän ongelmista häviäisivät, jos pitäisimme tämän mielessämme ja käyttäytyisimme sen mukaan.

5   Islamin perusvelvollisuudet

Islamissa on viisi perusvelvollisuutta, usein niitä kutsutaan 'Islamin pilareiksi'. Muslimit uskovat, että jos ne suoritetaan säännöllisesti, oikein ja sydämestä ne muuttavat muslimin elämän, tehden sen Luojan Tahdon mukaiseksi. Velvollisuuksien uskollisen suorittamisen pitäisi innostaa muslimia vakiinnuttamaan oikeutta, tasapuolisuutta ja vanhurskautta yhteiskunnassa, ja poistamaan epäoikeudenmukaisuutta ja vääryyttä ja pahaa.

a   Shahadah

Shahadah on tiedostettu ja vapaaehtoinen julistus: *La ilaha illallahu Muhammadur rasulullah* "Ei ole muuta jumalaa kuin Allah, Muhammed on Allahin Sanansaattaja".

Tämä julistus sisältää ne kaksi peruskäsitettä Tawhid ja Risalah.

Se on kaikkien Islamin tekojen perustus; neljä muuta perusvelvollisuutta seuraavat tätä vakuutusta.

b   Salah (pakollinen rukous)

Salah rukoillaan viisi kertaa päivässä, joko yhdessä tai yksin. Se on käytännöllinen esimerkki uskosta, ja pitää muslimin jatkuvassa yhteydessä Luojansa kanssa. Muslimien mukaan *Salahin* hyödyt ovat kauaskantoiset, pitkään kestävät ja mittaamattomat. *Salah* valmistaa muslimin tekemään työtä todellisen yhteiskuntajärjestyksen eteen, ja poistamaan valhetta, pahuutta ja siivottomuutta. Se kehittää itsekuria, järkkymättömyyttä ja tottelevaisuutta Totuutta kohtaan, johtaen kärsivällisyyteen, rehellisyyteen ja totuudellisuuteen elämän asioissa.

Jokapäiväiset viisi rukousaikaa ovat: *Fajr* aamunkoiton ja auringonnousun välillä; *Zuhr* keskipäivän ja iltapäivän välillä; *Asr* iltapäivän ja auringonlaskun välillä; *Maghrib* juuri auringonlaskun jälkeen; *Isha* illan ja aamunkoitoin välillä.

Muslimit uskovat, että viisi kertaa päivässä *Salah* tarjoaa hienon mahdollisuuden parantaa omaa elämää. Sitä pidetään hengellisen, moraalisen ja ruumiillisen harjoittamisen rakennelmana, joka tekee muslimista todella tottelevaisen Luojaansa kohtaan.

c   Zakah (almujen antaminen)

Zakah on pakollinen maksu muslimin vuosittaisista säästöistä. Se kirjaimellisesti tarkoittaa puhdistusta, ja se on vuosittainen 2.5 % maksu rahana, jalokivinä tai jalometallina; eläimistä, viljasta ja kaivostuotteista on eri maksu. *Zakah* ei ole hyväntekeväisyyttä eikä veroa; hyväntekeväisyys on valinnanvaraista, kun taas veroja voidaan käyttää yhteisön eri tarpeisiin. *Zakah*, puolestaan, voidaan käyttää vain köyhien ja heitteilläolevien, vammaisten, sorrettujen, velallisten auttamiseen ja muihin Koraanin ja Sunnahin määrittelemiin sosiaalisiin tarpeisiin. *Zakahia* pidetään jumalanpalveluksena. Sitä pidetään eräänä islamilaisen talouden perusperiaatteena, mikä varmistaa yhdenmukaisen yhteiskunnan, jossa kaikilla on oikeus avustaa ja jakaa. *Zakah* pitäisi maksaa siinä uskossa, että varakkuutemme ja omaisuutemme kuuluvat Allahille, ja meidät on pelkästään uskottu huolehtimaan niistä.

d   Sawm (pakollinen paasto)

Sawm on vuosittainen pakollinen paasto Ramadan -kuukauden aikana, joka on yhdeksäs kuu islamilaisessa kalenterissa. Aamunkoitosta auringonlaskuun jokainen muslimi pidättäytyy syömästä, juomasta, ja tupakoimisesta ja sukupuoliyhteydestä aviopuolison kanssa, etsien ainoastaan Allahin mielihyvää. Muslimien mukaan *Sawm* kehittää uskovan moraalista ja hengellistä tasoa, ja pitää hänet kaukana itsekkyydestä, ahneudesta, liiallisuudesta ja muista paheista. *Sawm*ia pidetään jokavuotisena harjoitusohjelmana, joka kasvattaa muslimin päättäväisyyttä täyttää velvollisuutensa Luojaansa ja Ylläpitäjäänsä kohtaan.

e   Hajj (pyhiinvaellus Allahin Taloon)

Haj on vuosittainen tapahtuma, pakollinen ainakin kerran elämässä muslimeille, joilla on tarpeeksi varoja tehdä se. Se on matka Allahin Taloon (Al-Kabah) Mekassa, Saudi Arabiassa Dhul Hijjah -kuukauden aikana, joka on kahdestoista kuukausi islamilaisessa kalenterissa. Muslimeille *Haj* symbolisoi ihmiskunnan yhteyttä; muslimit kaikista roduista ja kansallisuuksista kerääntyvät tasa-arvoisina ja nöyrinä ylistämään Jumalaa.

Muslimien mukaan tässä pyhiinvaelluksessa, joka tehdään Ihramin rituaalisin vaattein, on erikoinen Luojan läheisyydessä olemisen tuntu, jolle hän kuuluu ja jonka luo hänen täytyy palata kuoleman jälkeen.

6   Islamin arvovallan lähteet

Kaksi tärkeintä arvovallan lähdettä, jotka määrittelevät muslimin uskon ja uskonnolliset harjoitukset ovat Koraani ja Sunnah; samoin myös eri lainopilliset koulukunnat määrittelevät muslimien uskon ja harjoituksen.

a   Koraani

Koraani on muslimien pyhä kirja. Heidän uskomuksensa on, että se on viimeinen Ohjekirja Jumalalta (Allahilta), joka lähetettiin Muhammedille enkeli Gabrielin (Jibrail) kautta. Muslimien mukaan Koraanin jokainen sana on Allahin Sana. Se paljastui 23 vuoden aikana arabian kielellä, se sisältää 114 lukua (suuraa) yli 6,000 jakeessa. Muslimit oppivat sen ulkoa arabiaksi ja monet oppivat sen ulkoa kokonaan. Muslimien odotetaan tekevänsä parhaansa ymmärtääkseen Koraania ja seurata sen opetuksia. Muslimit uskovat, että ei ole Koraanin vertaista, kun ajatellaan sen ylöskirjoittamista ja säilyttämistä. Sen opetukset kattavat kaikki tämän ja tuonpuoleisen elämän kaikki puolet. Siinä on periaatteita, opetuksia ja ohjauksia ihmisen kaikkeen käyttäytymiseen. Koraanin teema koostuu laajalti kolmesta peruskäsitteestä: Tawhid, Risalah ja Akhirah. Muslimien mukaan, ihmisten menestyminen tässä maailmassa ja tuonpuoleisessa riippuu Koraanin opetusten uskomisesta ja tottelemisesta.

b   Sunnah

Sunnah viittaa Muhammedin tapaan tai tyyliin, mikä tarkoittaa Muhammedin tekoja, sanontoja ja hyväksymisiä. Se on sisällytetty Hadith -kirjoihin, mikä on kokoelma hänen sanonnoistaan ja teoistaan ja teoista, jotka hän on hyväksynyt. Se näyttää, kuinka panna Koraanin ohje käytäntöön. Muslimien mukaan Hadith -kirjat kirjattiin huolellisesti Muhammedin kuoleman jälkeen. Kuusi kokoelmaa varsinkin on tullut kuuluisaksi ja niitä pidetään kaikista luotettavina: Bukhari, Muslim, Tirmidhi, Abu Dawud, Nasai ja Ibn Majah.

Hadithista voi löytää sellaisia aiheita, kuten: islamilaisen rukouksen ajat ja piirteet, festivaaleihin liittyvät rituaalit, kuinka hoitaa liikeasioita islamilaiseen tyyliin, perintöihin, testamentteihin, valoihin ja lupauksiin ja uskosta poiskääntyneisiin liittyviä asioita.

c   Islamilaisen lain koulukunnat (Shari'a)

Sunni-islam hyväksyy neljä lakikoulukuntaa, jotka määrittelevät uskonnollisen lainopin. Nämä koulukunnat on nimetty perustajiensa mukaan:

1) Hanifi -koulukunta (lähinnä Turkissa, Balkan-maissa, Keski-Aasiassa, Intiassa, Pakistanissa ja Bangladeshissa)
2) Maliki -koulukunta (lähinnä Pohjois-Afrikassa)
3) Safi' -koulukunta (lähinnä Jemenissä, Egyptissä, Syyriassa, Kaakkois-Aasiassa ja Itä-Afrikassa)
4) Hanbali -koulukunta (pääasiassa Saudi Arabiassa)

Näiden koulukuntien välillä olevat erot eivät ole islamin uskon perusoppeja, vaan tarkemmissa tuomioissa.

Näiden ero riippuu siitä, mihin on pantu korostus:

a) Koraanin opetus
b) Sunnahin opetus
c) oppineiden yksimielisyys

d) Muhammedin aikaisten tilanteiden samanlaisuus
e) tervejärkisyys

Shari'a on arabiankielinen sana, joka viittaa 'tiehen juomapaikkaan, tai lähteeseen', joka on pelastuksen kielikuva. Se on islamin käyttäytymissääntö. Sharia tulee neljästä lähteestä:

a) Koraanin asettamat moraalisäännöt
b) Muhammedin antama esimerkki Sunnahissa
c) uskonnollisten oppineiden yksimielisyys
d) harkittu mielipide, joka pohjautuu jollekin Koraanin ja Sunnahin päätelmälle (esim. vertailu jonkin samanlaisen kanssa)

Muslimit ovat eri mieltä siitä, mitä se oikein tarkoittaa. Modernisteilla, traditionalisteilla ja fundamentalisteilla on eri mielipiteitä Shari'asta, kuten on myös islamilaisen ajattelun ja oppineisuuden eri koulukuntien kannattajien välillä. Eri maissa ja kulttuureissa on myös erilaisia tulkintoja Shari'asta.

Shari'assa on sekä uskonnollisia että lakiin liittyviä ohjeita. Se käsittelee monia aiheita maallisesta laista, kuten rikollisuus, politiikka ja talous, samoin kuin henkilökohtaisia asioita, kuten seksuaalisuus, hygienia, ruokavalio, rukous ja paasto. Se, että monet muslimit nykyään asuvat ei-islamilaisissa maissa, tuo esille uuden tilanteen islamilaiselle laille. Euroopan muslimiyhteisöjen oppineiden välillä käydään nykyään keskusteluja siitä, kuin sovittaa yhteen Shari'an vaatimukset Euroopan lakijärjestelmien kanssa.

7   Islamin sisäiset eri järjestöt

Muslimien määrä maailmassa on n. 1,5 miljardia. Islamin sisällä voidaan tunnistaa monia virtauksia. Tärkeimmät ryhmät ovat sunnit ja shiiat. Noin 80 % kaikista muslimeista on sunneja. Toiseksi laajin ryhmä (15 %) on shiia -muslimit.

Shiialaisia on enimmäkseen Iranissa ja Irakissa, mutta myös monessa muussa maassa. Tärkeä ero sunni ja shiia -islamin välillä on se, että shiia-muslimit tunnustavat Alin, Muhammedin vävyn ja muutaman muun henkilön Muhammedin jälkeläisiksi, joita kutsutaan imaameiksi, laillisiksi perijöiksi islamin poliittisten ja uskonnollisten johtajien parissa. Monet shiialaiset uskovat erehtymättömään imaamiin, jumaluuden lihaksi tulemiseen, ja jolla on yliluonnollinen tietämys. He odottavat 12. imaamin paluuta, joka hävisi v. 869 perustamaan islamin maailman herruutta.

Näiden kahden jakautumisen sisällä on monia pienempiä islamin ryhmiä ja haaroja, kuten esim. Kharijite-, Murji'te-, Mu'tazilite-, Isma'ili- sekä Druze -ryhmät. Muut muslimit eivät katso joidenkin näistä ryhmistä olevan todellisia muslimeita. Muita ryhmiä:

A   Ahmadija Muslimiyhteisö

Ahmadija Muslimiyhteisö (AMC) on dynaaminen, nopeasti kasvava kansainvälinen herätysliike Islamin sisällä. AMC:n perusti v. 1889 Mirza Ghulam Ahmad (1835-1908) , joka väitti vastaanottaneensa jumalallisia ilmestyksiä, ja jonka odotetaan olevan kauanodotettu Messias. Ahmad väitti olevansa metaforinen Jeesus Nasaretilaisen toinen tuleminen ja jumalallinen opas, jonka tulon Muhammed ennusti. AMC uskoo, että Jumala lähetti Ahmadin, kuten Jeesuksen, lopettamaan uskonnolliset sodat, tuomitsemaan verenvuodatuksen ja palauttamaan moraalin, oikeuden ja rauhan. Hänen seuraajiensa mukaan, Ahmad riisui islamin fanaattisista uskomuksista ja käytännöistä taistelemalla islamin oikeiden ja perusopetusten puolesta. Ahmadija Muslimiyhteisö tunnustaa Zoroasterin, Aabrahamin, Mooseksen, Jeesuksen, Krishnan, Buddhan, Confuksen, Lao Tzun ja Guru Nanakin, ja uskoo, että heidän opetuksensa yhdistyivät yhteen todelliseen islamiin. AMC, joilla on päätoimisto Britanniassa, väittää, että sillä on kymmeniä miljoonia kannattajia maailmanlaajuisesti.

B   Bahaismi

Bahai-yhteisö perustettiin v. 1844 nykypäivän Iranissa, jolloin Ali Muhammad (jota kutsuttiin 'Baha'u'lla' -nimellä) julisti olevansa 'Portti' (Bab). Baha'u'llahin perussanoma oli yhteys. Hän opetti, että on vain

yksi Jumala, että on vain yksi ihmiskunta, ja että kaikki maailman us-
konnot edustavat asteita Jumalan antamassa ilmestyksessä, joka käsit-
tää hänen tahtoaan ja tarkoitustaan ihmiskuntaa varten. Baha'it usko-
vat Jumalan ja ihmiskunnan yhteyteen, sukupuolten tasa-arvoon, us-
konnon ja tieteen harmoniaan sekä itsenäiseen totuuden etsimiseen.
Heidän mielestään Muhammed ei ole viimeinen ja suurin profeetta,
vaan eräs monista. He eivät tunnusta Koraania viimeiseksi ilmes-
tykseksi, vaan kirjaksi monen, myös Baha'ullah'in kirjoitusten, joukos-
sa. On arvioitu, että Bahai-yhteisöön kuuluu noin 7 miljoonaa jäsentä.
Joskus Bahai-yhteisön jäseniä pidetään luopio-muslimeina ja heitä
vainotaan joissain islamilaisissa maissa.

C Salafi-järjestö (wahhabilaisuus)

Salafi on sunni-islamilainen liike, joka pitää alku-islamin hurskaita esi-
isiä esimerkkeinään. Sana "salaf" on arabiaa ja se voidaan kääntää
sanalla "edeltäjä" tai "esi-isä". Islamilaisessa terminologiassa sitä käy-
tetään yleensä viittaamaan kolmeen ensimmäiseen muslimisukupol-
veen. Näitä kolmea sukupolvea pidetään esimerkkeinä siitä, kuinka
islamia pitäisi harjoittaa. Termiä salafismi käytetään usein vaihtovuo-
roisesti "wahhabismin" kanssa, koska Muhammed ibn Abd-al-
Wahhabia (1703-1787) pidetään tämän liikkeen perustaja, vaikkakin
monet seuraajat sanovat, että liikkeen perusti profeetta Muhammed
itse. Salafi-liike perustuu puritaaniseen perinteeseen. He tulkitsevat
Koraania kirjaimellisesti ja hylkäävät kaiken, mikä ei perustu islamin
alkuperäisiin lähteisiin. Salafi-liikkeellä on suuri vaikutus Saudi Arabi-
assa ja se yrittää käyttää sen varoja levittääkseen sen opetuksia ja
vaikutusta ympäri maailmaa.

D Suufismi

Suufismi on islamin sisäinen mystinen virtaus. Se sai alkunsa varhai-
sessa islamissa. Sen kannattajia kutsutaan 'suufeiksi'. Sana *Sufi* jäljite-
tään usein arabiankielen sanaan 'Suf' (villa), viitaten askeettisten al-
kumuslimien käyttämiin villaisiin viittoihin. Toinen ehdotus on, että
Sufi tulee arabian sanasta 'Safa' (puhtaus), joka selittäisi sen, miksi

suufismi painottaa sydämen ja sielun puhtautta. Vaikka suufit uskovat Koraaniin ja Sunnaan, he korostavat enemmän sisäistä elämää ja mystistä yhteyttä Jumalan kanssa kuin ulkoista tottelevaisuutta uskonnollisiin velvollisuuksiin. Suufismin mukaan uskonnon perusta on rakkaus Jumalaa kohtaan. Meidän pitää rakastaa Jumalaa sinä, jona Hän on, ei palkkion vuoksi tai rangaistuksen pelon vuoksi. Jumalaa kutsutaan usein Iankaikkiseksi Rakastajaksi. Monet suufit etsivät mystistä yhteyttä tai suoraa kommunikaatiota Jumalan kanssa tanssin ja musiikin, Koraanin jakeiden lausumisen ja islamilaisen runouden kautta, jonka kautta he yrittävät päästä hurmiotilaan.

E   Alevit

Noin 15 miljoonaa muslimia on aleveja, heitä on enimmäkseen Turkissa ja pienempiä määriä Syyriassa, Iranissa ja Irakissa. On vaikea antaa ehdotonta selvitystä heidän uskomuksistaan ja käytännöistään, koska niiden keskuudessa, jotka kutsuvat itseään aleveiksi, on niin laaja uskomusten ja käytäntöjen monipuolisuus. Alevien ja Balkanin Bektaasilaisten välillä on monia yhtäläisyyksiä.

Alevit ovat Alin (Muhammed vävyn) seuraajia, ja uskovat hänen olevan Muhammedin seuraaja. Monet alevit pitävät Muhammedia ja Alia samana, ja käyttävät tästä persoonallisuudesta yhtä nimeä Muhammed Ali. Jotkut sanovat, että alevismi koostuu islamin, kristinuskon, juutalaisuuden, manikealaisuuden, zahahustralaisuuden, šamanismin ja 20. vuosisadan humanismin sekoituksen parhaista puolista. Lähes kaikki alevit kieltävät, että Jumala palkitsee ne, jotka seuraavat hänen sääntöjään maan päällä ja saavat nauttia ikuisista iloista taivaassa.

Alevit tulkitsevat Koraania esoteerisesti, sisäisesti tai mystisesti. Heidän mukaansa Koraanissa on paljon syvempiä hengellisiä totuuksia kuin ne tiukat säännöt ja säätelyt, jotka löytyvät kirjalliselta pinnalta. Kirjojen lisäksi, alevien uskomusten ehkä tärkein lähde ovat ne mystiset runot ja musiikilliset ballaadit, joita on jätetty jälkipolville sukupolvesta toiseen, ja joista monia ei ole kirjattu. Nämä runot ja ballaadit ovat osa ylistyskokouksia, joiden aikana he yrittävät päästä syvempään yhteyteen kokouksen hengellisen johtajan kanssa ja Jumalan kanssa. Jumalanpalvelus on lähinnä sitä, että johtaja rukoilee, antaa lyhyitä hengellisiä sanomia, laulaen ballaadeja ja johtaen seurakuntaa laulamaan. Toinen peruselementti on valittujen miesten ja naisten suorittama pyörivä rituaalinen ryhmätanssi erikokoisissa ryhmissä. Koko jumalanpalvelus pidetään täysin turkiksi, myös rukoukset ja laulut.

Alevit eivät hyväksy ajatusta kovakasvoisesta Jumalasta, joka tuomitsee ihmisiä sen mukaan, kuinka he ovat suorittaneet hengelliset velvollisuutensa elämässään maan päällä. Alevit eivät yleensä suorita rukouksia viisi kertaa päivässä, eivät noudata paastoa Ramadan-kuun aikana. Sen sijaan he pitävät 12-päiväisen paaston muslimi-kalenterin ensimmäisen kuun aikana. Mekassa käynti ei ole alevien käytäntö. Sen sijaan Alevi-Bektashi -pyhimysten haudoilla vierailu ja siellä rukoileminen on aika yleistä. Alevinaiset ovat jumalanpalveluksessa yhdessä miesten kanssa. Alevinaiset saavat pukeutua nykyaikaisiin vaatteisiin.

F   Kansanislam

Vaikkakaan kansanislam ei ole oikeistaan islamin virtaus, meidän ei pitäisi jättää sitä huomiotta. Monen muslimin jokapäiväisessä elämässä puhdasoppiset vakaumukset kulkevat käsi kädessä käytäntöjen kanssa, joiden alkuperä saattaa löytyä ajoilta ennen islamin syntyä. Sellaisiin käytäntöihin kuuluvat syntyminen, puberteetti, avioliitto ja hautaukset ym. Myös käytännöt, jotka liittyvät huonolta onnelta suojelemiseen (muslimit joskus kutsuvat tätä nk. "pahaksi silmäksi"). Jos nainen ei tule raskaaksi, hän joskus etsii apua rukoilemalla muslimipyhimyksiä, jotka ovat kuolleet. Myös unilla, siunauksilla ja kirouksilla on tärkeä rooli monen perinteisen muslimin päivittäisessä elämässä.

8   Islamilainen kulttuuri ja tavat

Jos haluamme kehittää hyvät suhteet muslimien kanssa, on tärkeää tietää jotakin islamilaisesta kulttuurista ja tavoista. Ei tietenkään ole mahdollista lyhyesti kuvata kaikkien maassamme olevien muslimien kulttuuria ja tapoja. Niissä on monia eroavaisuuksia ja on tärkeää, että opimme muslimiystävän omasta kulttuurista ja taustasta keskustelun kautta. Tässä riittää, että annamme joitain näkökohtia, joihin muslimit pitäytyvät:

A   Islamilainen kalenteri

Islamilainen kalenteri alkaa vuodesta 622 jKr.. Islamilainen vuosi koostuu 12 lunaarisesta kuukaudesta. Lunaarinen vuosi on 11 päivää lyhyempi kuin oma solaarinen vuotemme. Tarkat päivät, jolloin festivaalit (ja myös paastokuu Ramadan) alkavat, voidaan usein järjestää vasta viimehetkellä, koska se riippuu kuun näyttäytymisestä. Vuosi 2011 jKr. on vuosi 1432 AH (Anno Hijrah, jolloin Muhammed pakeni Mekasta Medinaan.)

B   Islamilaiset festivaalit

Muslimit sanovat, että he seuraavat festivaaleja etsiäkseen Jumalan (Allah) mielihyvää, ei omaa mielihyväänsä. Ne ovat kuitenkin ilon ja onnellisuuden tapahtumia. Kaksi islamin pääfestivaalia on *'Id ul Fitr'* ja *'Id ul Adha'*.

'Id ul Fitr' on ensimmäisenä päivänä Ramadan-kuun jälkeen. Tänä päivänä kuukauden paaston jälkeen muslimit rukoilevat yhdessä, mieluummin avoimella maalla. He ilmaisevat kiitollisuutensa Allahille, että pystyivät pitämään paaston. He valmistavat erityisiä ruokia. On tapana vierailla perheiden ja sukulaisten luona ja tehdä tapahtumasta erityinen lapsille.

'Id ul Adha' alkaa 10. päivänä Dhul Hijjah -kuussa ja jatkuu 13. päivään. Tämä juhla muistuttaa Aabrahamin halukkuudesta uhrata oma poikansa Ismael. Aabraham osoitti valmiutensa ja Allah oli hyvin mielissään. Oinas uhrattiin Ismaelin sijaan Allahin käskystä. Muslimit rukoilevat yhdessä sinä päivänä ja he uhraavat eläimiä, esim. lampaita, vuohia, lehmiä ja kameleita. Uhratun eläimen liha jaetaan sukulaisten, naapurien ja köyhin kanssa.

Muita juhlia ovat Hijrah (Profeetan muutto), Lailatul Miraj (Ylösnousemuksen Yö) ja islamilaisten taistelujen päivät. Ramadanin viimeisten kymmenen päivän aikana parittomana yönä juhlitaan erikoista yötä, jonka nimi on Lailatul Qadr (Voiman Yö). Koraani sanoo, että se on "parempi kuin tuhat kuukautta". Muslimit viettävät sen yön rukoillen ja lukien Koraania.

C Ruokavalio

Koraanissa muslimeita rohkaistaan syömään sitä, mikä on heille hyvää ja terveellistä, ja heiltä on kielletty tiettyjen ruokien syöminen. Muslimi ei saa syödä: a) sianlihaa; b) eläimiä, joita ei ole teurastettu Allahin nimessä; c) eläinten verta; d) lihansyöjäeläimiä.

Kala ja vihannekset ovat sallittuja. Islamilainen laki vaatii, että eläimet teurastetaan inhimillisesti terävällä veitsellä, joka lävistää kaulan sisäisen rasvakudoksen niin, että mahdollisimman paljon verta vuotaisi ulos. Allahin nimi täytyy sanoa teurastuksen aikana. Kaikki alkoholi on kielletty.

D Pukeutuminen

Muslimeita kehotetaan pukeutumaan siveellisesti ja soveliaasti. Mitään tiettyä vaatetta ei suositella. Vaatimukset sisältävät:

- miehille vaatteen täytyy peittää ainakin navasta polviin;
- naisille vaatteen täytyy peittää koko vartalo, paitsi ei kasvoja ja käsiä; joidenkin oppineiden mukaan puberteetti-iän saavuttaneiden naisten pitäisi peittää kasvot mennessään ulos tai tavatessaan vieraita;
- miesten ja naisten ei pitäisi pukeutua niin, että se herättäisi seksuaalisia tunteita, esim. läpinäkyviä, ihonmyötäisiä tai puolialastomia vaatteita;
- miehet eivät saa käyttää puhdasta silkkiä tai kultaa;
- miehet eivät saa käyttää naisten vaatteita ja toisinpäin;
- muiden uskontojen edustamia vaatteita ei saa käyttää.
- Yksinkertaisuutta ja vaatimattomuutta rohkaistaan. Vaatteista, jotka ilmaisevat ylimielisyyttä, ei pidetä. Vaatteiden tyyli riippuu paikallisista tavoista ja ilmastosta.

Keskustele
1. **Onko asioita, joita kristitty voi oppia muslimeilta?**
   Jos on, niin mitä?
2. **Mainitse useita samankaltaisuuksia ja eroja muslimien ja kristittyjen välillä.**

9 Muslimien pääongelmat kristinuskon kanssa

Kun kristityt saavat kosketuksen muslimeihin, he huomaavat, että on monia asioita, joita muslimien on vaikea ymmärtää tai hyväksyä kristityistä ja kristinuskosta. Voimme koota pääasiat kolmeen kategoriaan:

a) uskomme
b) historiamme
c) moraalimme

a   Uskomme

Muslimit eivät ymmärrä käsitystämme kolminaisuudesta ja ovat vakuuttuneita, että kristityt uskovat kolmeen jumalaan. Kuten olemme nähneet aikaisemmin, muslimit korostavat voimakkaasti Jumalan ykseyttä ja heidän mielestään tämän jokainen häpäisy on vakava loukkaus.

Vaikka muslimit kunnioittavat Jeesusta paljon ja myöntävät, että hän on tärkeä profeetta, he eivät ymmärrä, kuinka kristityt voivat puhua Jeesuksesta 'Jumalan Poikana'. Heidän mielestään kristityt, jotka sanovat näin uskovat, että Isä Jumalalla oli seksuaalinen suhde Marian kanssa ja että Jeesus syntyi tämän seurauksena. Tämä ajatus on hyvin loukkaava muslimeille.

Koska Jumala on kaikkivaltias ja Jeesus on yksi hänen profeetoistaan, jonka hän lähetti maailmaan, muslimit eivät voi ymmärtää, että Jumala salli Jeesusta kohdeltavan niinkin häpeällisellä tavalla, että hänet ristiinnaulittiin. Koraani sanoo, että Jumala otti Jeesuksen taivaaseen, juuri ennen kuin ihmiset yrittivät ristiinnaulita hänet ja että Jumala antoi jonkun toisen ottaa Jeesuksen ulkomuodon, ja joka sitten ristiin-naulittiin.

Monet muslimit eivät ymmärrä, kuinka kristityt uskovat Raamatun erehtymättömyyteen, jos he samaan aikaan käyttävät erilaisia Raama-tunkäännöksiä eivätkä voi antaa hyvää selitystä joillekin Raamatun ristiriitaisuuksille.

b   _Historiamme_

Keskiajalla kristittyjen armeijat menivät Pyhään Maahan puhdista-maan sitä ei-kristillisiltä vaikutuksilta. Näin tehdessään, he tappoivat tuhansia ihmisiä (myös monia muslimeita). Joskus muslimit ajattelevat näiden ristiretkien olleen 'jihadin' (pyhän sodan) versio.

Monet kristityt maat (esim. Espanja, Portugali, Englanti, Ranska ja Hollanti) olivat 1700-luvulta 2000- luvulle siirtomaavaltoja, jotka hallitsi-vat monia maailmankolkkia (joissa asui monia muslimeita) käyttäen väkivaltaa, ryöstöä, valheita ja hyväksikäyttöä.

Muslimit eivät usein ymmärrä, miksi kristityt kannattavat ehdoitta Israelia, joka joskus käyttää väkivaltaa saavuttaakseen päämääränsä.

Monet muslimit uskovat, että Länsimaat (mitä usein käytetään Kris-tinuskon synonyymina) usein käyttäytyvät aivan kuin ne olisivat kult-tuurillisesti, poliittisesti ja taloudellisesti korkeammassa asemassa kuin muu maailma, ja jolta puuttuu halu oppia muiden kulttuurien ja mai-den rikkaudesta.

c   _Moraalimme_

Kun Länsimaat, monen muslimin silmissä, käyttäytyy kuin poliisi, joka yrittää saada muun maailman tottelemaan lakiaan, se näyttää olevan sokea omassa yhteiskunnassaan tapahtuvalle moraaliselle rappeutu-miselle, mikä näkyy homoseksuaalisuudessa, huumeiden ja prostituu-tion laillistamisessa, abortti- ja eutanasia -käytännössä, kotiväkivallan laajassa olemassaolossa, avioerojen korkeassa prosentissa sekä mo-raalittomuuden levittämisessä filmien ja turismin kautta.

Keskustele:
1. Mikä on ensimmäinen reaktiosi siihen, kuinka muslimit näkevät kristityt ja kristinuskon?
2. Kuinka voimme vastata näihin asioihin?

KOTITEHTÄVÄ

Kirjoita ylös ainakin kaksi kysymystä, jotka haluaisit kysyä muslimilta, jonka tulet tapaamaan moskeijassa seuraavan oppitunnin aikana.

OPPITUNTI 4:
MUSLIMIEN TAPAAMINEN

Tavoite: tapaaminen muslimin kanssa ja kysyminen heidän uskostaan ja käytännöstään

Nyt, kun olemme tarkastelleet asennettamme islamia ja muslimeita kohtaan ja oppineet joistakin muslimien uskon ja elämän tärkeistä kohdista, on aika tavata muslimeita ja olla vuorovaikutuksessa heidän kanssaan heidän uskostaan. Olemme oppineet, että eräs armon asenteen piirteistä on katsoa islamia muslimien silmien kautta ja välttää karikatyyrien tekemistä muslimeista.

Paras tapa oppia siitä, mitä muslimit uskovat, ajattelevat ja tekevät on kysyä heiltä suoraan. Kokemuksemme on, että muslimit ovat hyvin halukkaita tapaamaan kristittyjä ja keskustelemaan heidän kanssaan uskostaan ja myös kuuntelemaan, mitä kristityt uskovat. Sen vuoksi haluaisimme käyttää neljännen oppitunnin vieraillaksemme moskeijassa ja ollaksemme vuorovaikutuksessa siellä olevien muslimien kanssa.

Kun vierailet moskeijassa, pidä mielessä seuraava:

1. Pukeudu vaatimattomaan ja siveään asuun, joka paljastaa vähiten ihoa (esim. ei shortseja tai hihattomia paitoja miehillä tai naisilla). Naisten pitää pukeutua pukuun tai puseroon ja hameeseen (vähintään polviin), hihat mieluimmin kyynärpäihin tai pitemmälle ulottuvat sekä huiviin. Miesten pitäisi pukeutua pitkiin housuihin ja hihalliseen paitaan. Naisia pyydetään yleensä peittämään päänsä ollessaan moskeijassa. Voit tuoda oman huivisi, muuten sinulle annetaan sellainen.

2. On yleinen tapa, että sinua pyydetään poistamaan kengät, kun astut moskeijaan.

3. Valmista etukäteen joitakin kysymyksiä, joita haluat esittää.

4. Ole kohtelias ja kunnioittava kaiken aikaa, silloinkin, kun kuulet tai näet asioita, joita vastaan olet täysin, tai kun joku yrittää käännyttää sinua islamiin. Isäntänne voi hyvinkin esittää totuuden liian optimistisesti, mutta ymmärrä, että tämä on samoin, kuin mitä itse tekisit, jos ryhmä muslimeita vierailisi kirkossasi.

5. Kun sinulta kysytään kristillisestä uskostasi, yritä vastata niin henkilökohtaisesti kuin mahdollista. Esim. sen sijaan, että sanoisit "Kristinuskossa rukous on hyvin tärkeä", voit selittää, kuinka sinä itse rukoilet päivittäin.

6. Tämän vierailun päämäärä ei ole käännyttää muslimi-isäntiäsi, vaan oppia heiltä. Mutta, kun sinulle tulee mahdollisuus kunnioittavasti kertoa omasta uskostasi Herraan Jeesukseen Kristukseen, voit tehdä sen.

Tehtävä moskeijavierailun jälkeen

1. Mitä opit eniten moskeijavierailusta?
2. Lue Apt. 10 ja mieti Pietarin ja Korneliuksen suhdetta. Vertaa Korneliusta muslimeihin, joita olet tavannut.
   a. Kuuleeko Jumala mielestäsi näiden muslimien rukoukset? Mitä uskot, että tapahtuu, kun he rukoilevat?
   b. Pietari oppi tärkeän asian Korneliukselta. Mitä sinä olet oppinut tapaamiltasi muslimeilta?
   c. Mistä sinä pidät eniten muslimien uskossa?
   d. Kornelius tarvitsi vain yhden näyn alkaakseen toimintaan. Pietari tarvitsi kolme. Oletko nähnyt muita esimerkkejä, joissa kristityt ovat vähemmän vastaanottavaisia sille, mitä Jumala haluaa sanoa kuin sille, mitä seurakunnan ulkopuolella olevat ihmiset haluavat sanoa?

OPPITUNTI 5:
PYSYVIEN SUHTEIDEN RAKENTAMINEN

Tavoite: oppia olemaan ihmissuhdeläheinen todistaja ja jakamaan elämämme muslimin kanssa

Tehtävä:
Keskustele moskeijavierailustasi ja sen jälkeen annetuista tehtävistä.

Nyt kun olemme keskustelleet asenteestamme muslimeita ja islamia kohtaan ja oppineet enemmän muslimin uskosta ja elämästä, ja kun meillä myös on ollut mahdollisuus tavata muslimeita, on aika tutkia, kuinka voimme jakaa elämämme muslimien kanssa ja tässä yhteydessä, kuinka kertoa omasta uskostamme ja Jeesuksesta Kristuksesta. Tämä on viidennen ja viimeisen oppituntimme aihe.

A   Jeesuksen lihaksituleminen: malli meille

Joh. 1:14 jakeessa luemme, että *"Sana tuli lihaksi"*. Tämä viittaa Jeesuksen lihaksitulemiseen, mikä on parhain esimerkki kristittyjen tavoittavaan toimintaan tässä maailmassa. Meidän pitäisi seurata Jeesuksen esimerkkiä. Hän otti palvelijan asenteen ja tuli osaksi yhteisöä (Fil. 2:5-8). Apostoli Paavali 1 Kor. 9:19-23 jakeissa näyttää, että hän oli valmis tulemaan orjaksi jokaiselle voittaakseen niin monia kuin mahdollista.

Mainitessaan palveluksestaan Tessalonikassa, hän kirjoittaa:

"Rakastimme teitä niin hellästi, että olimme valmiit antamaan teille Jumalan evankeliumin lisäksi oman itsemmekin; niin rakkaiksi te olitte meille tulleet." (1 Tes. 2:8)

Tämä jae heijastaa sitä, miten Apostoli Paavali palveli Tessalonikan kaupungissa. Hänellä ja hänen tiimillänsä oli aito rakkaus niitä ihmisiä kohtaan, joille he kertoivat evankeliumin. He eivät vain esittäneet sanomaa, vaan antoivat itsensä.

"Todellinen lähetystyöntekijä ei ole se, joka erikoistuu sanoman esittämiseen, vaan se, jonka koko olemus, täysin antautuneena kaiken vaativalle sanomalle, välittyy kuulijoille."[16]

Kirjeessään Paavali mainitsee yhdeksän kertaa 'sinä tiedät', viitaten siihen tosiasiaan, että tessalonikalaiset olivat tarkkailleet hänen elämäänsä läheltä.

Meidän täytyy yhdistää julistus ja lihaksituleminen. Eräs tärkeä käsite Raamatussa on Jumalan Valtakunta. Jumalan lunastuksen mestarisuunnitelma on, että Jumala voi kirkastaa itsensä yhdistämällä kaiken Kristuksessa. Tämä ei sisällä vain ihmisten sovittamista Jumalan kanssa, vaan "kaikkien taivaassa ja maan päällä olevan sovittaminen" (Ef. 1:10). Tämä sovitus löytää lopullisen täytäntönsä tulevassa Jumalan Valtakunnassa, mutta tästä tulevasta valtakunnasta voidaan nähdä pilkahduksia jo nyt. Seurakunnan tehtävä ei ole vain julistaa valtakunnan evankeliumia (Matt. 24.14), vaan myös pitää esillä valtakunnan elämää (Matt. 5-7) ja tehdä valtakunnan tekoja.

Soveltaessamme yllä olevaa suhteeseemme muslimin kanssa, voimme oppia neljä asiaa:

a   Evankeliointi on ensisijaisesti elämäntyyli, ei toimintaa; se ei ole ensisijaisesti sitä, mitä teemme, vaan sitä, mitä olemme.

b   Evankeliumin suullisen jakamisen täytyy muodostaa kokonaisuus oman elämän ja tarpeiden kanssa, ja sen täytyy olla yhteydessä yhteisön tarpeiden kanssa, jotka ovat seurausta rikkoutuneesta Jumalasuhteesta.

c   Uskovan elämän täytyy olla sovinnossa Jeesuksen sanoman sisällön kanssa.

d   Saadakseen tarkan ymmärtämyksen Jeesuksesta Kristuksesta ja raamatullisesta uskosta, muslimin täytyy nähdä sen ilmaantuminen tuntemiensa ja luottamiensa ihmisten elämässä.

---

[16] Ernest Black, Black's New Testament Commentaries, ed., A commentary of the First and Second Epistles to the Thessalonians (Peabody, Massachusetts: Hendrickson Publishers, 1993), 102, 103

e Jotta kristityt voisivat tarkkaan tehdä todelliseksi Evankeliumin totuuden muslimeille, heidän täytyy ymmärtää muslimeita oikein rakkaudellisessa ja luottamuksellisessa suhteessa.

Tämä tarkoittaa erityistä läheisyyttä kristityn ja muslimin välillä.

Keskustele:

a **Mitä tapahtuisi, jos jokaisella muslimilla maassasi olisi edes yksi kristitty ystävä?**

b **Mitä tarkoittaa lihaksltuleminen tai ihmissuhdekeskeinen todistus?**

"Se, mikä tekee meidät erilaiseksi, ei ole pelkästään se, mitä uskomme, vaan kuinka uskomuksemme motivoivat käyttäytymistämme ja vaikuttavat käyttäytymiseemme. Se, mikä tekee meistä erilaisen, on se, kuinka uskomme muuttaa elämäämme... Ellemme... opi osoittamaan sitä dynaamista ja muuttavaa suhdetta uskomustemme ja käyttäytymisemme välillä, emme ole sen paremmassa asemassa kuin muut uskonnot." [17]

Vaikka teologia kristinuskon ja islamin välillä on erilainen, suuri osa muslimeista tietää vain sen, että se on erilaista silloin, kun se vaikuttaa käyttäytymiseemme.

Olemme nähneet aikaisemmin tässä oppikirjassa, että Joonan teologia ei vaikuttanut hänen käyttäytymiseensä. Hän saattoi pystyä käymään keskustelua armon ja anteeksiantamuksen käsitteestä Niniven ihmisten kanssa, mutta hän ei ollut halukas näyttämään tätä armoa heille oman elämänsä kautta.

Uskomuksistamme keskusteleminen tuskin koskaan vakuuttaa ihmisiä niiden totuudesta, mutta eron tekee se, että näemme niiden käytäntöön panemisen.

---

[17] Richard Sudworth, *Distinctly Welcoming*, (NSW Australia: Scripture Union Australia, 2007), 48.

Jeesus ei enimmäkseen väitellyt aikansa hallitsijoiden kanssa Jumalan valtakunnan voimassaolosta; hän kulki ympäriinsä näyttäen toteen Jumalan valtakuntaa ja selittäen, kuinka ymmärtää sitä ja elää siinä. Meidän täytyy tehdä samoin.

Lihaksitulemista tai ihmissuhdekeskeistä todistusta kutsutaan myös ystävyysevankelioimiseksi. Se on ihmisläheistä ja henkilökohtaista lähestymistä: henkilökohtaista (tai yhden perheen) tapaamista, ei ryhmätilanteessa, jossa rakennetaan henkilökohtaisia suhteita. Uskostamme muslimille todistamisen täytyisi ihanteellisesti tapahtua rakkaudellisessa, luottamuksellisessa ja kunnioituksellisessa kanssakäymisessä. Vie aikaa rakentaa tällaista suhdetta ja se menee paljon pitemmälle kuin yhden kerran keskustelu tuntemattoman kanssa kristinuskosta ja islamista. Se, esimerkiksi, tarkoittaa yhdessätekemistä, yhdessä aikaa viettämistä, kasvattaen kiinnostusta toisen elämään, jakaen ilot ja surut, hyviksi ystäviksi tulemista sanan täydellisessä merkityksessä.

Se tarkoittaa koko elämääsi, eikä vain evankeliumin jakamista.

Vilpitön huoli ja huolenpito antaa meille monia mahdollisuuksia jakaa raamatullisia totuuksia. Ei vaikeatajuisella abstraktisella tavalla, jossa ei ole ihmisläheistä yhteyttä, vaan osana päivittäistä elämäämme. Luonnollisissa ja jokapäiväisissä tilanteissa elät uskoasi muslimiystäviesi edessä sekä sanoin että teoin. Keskustellussanne tulee esiin tilanteita, joissa voit esittää kristillisiä totuuksia, rukoilla ystäväsi kanssa tai hänen puolestaan. He myös näkevät sinun harjoittavan uskoasi (esim. paasto, joulun juhliminen, tai se kuinka käyttäydyt vaikeissa tilanteissa, kuinka hoidat raha-asioitasi, kuinka suhtaudut perheeseesi, ym.).

Muslimiystävämme tarkkailevat jokapäiväisessä elämässämme Jeesuksen pelastavaa työtä ja voimaa. Monet muslimit tulevat todellisesti arvostamaan evankeliumia ja halajamaan Herraamme nähdessään kristityn elävän uskoaan hänen jokapäiväisten todellisten ongelmiensa edessä, auttaen avoimesti, palvellen avoimesti, nöyrästi, uskollisesti, heidän vierellään omissa yhteisöissään.

Joskus saattaa tulla eteen vastoinkäymisiä, kun tulemme vaikeiden kysymysten eteen, mutta ystävinä osaamme olla eri mieltä.

Lihaksitulemisen todistus saattaa maksaa ja koskea, kuten myös näemme Jeesuksen elämän kärsimyksen ja jopa kuoleman.

Sitä, kuinka usein pystyt kertomaan evankeliumia, ei voida ohjelmoida, mutta ollessamme huolissamme ihmisistä, jotka eivät ole kuulleet Kristuksesta, sinä rukoilet Jumalaa auttamaan sinua näkemään tilanteita, jolloin puhua, jolloin kuunnella, ja kuinka olla herkkä ystäväsi tarpeille ja uskomuksille. Sinä myös opit todistamaan omasta uskostasi avoimemmin ja tulet ilmaisemaan selvemmin, kuinka Jumala suhtautuu tekemiimme valintoihin ja antamiimme vastauksiin, ym.

Raamatusta luemme Andreaksen tuovan veljensä Pietarin tapaamaan Jeesusta, ja Filippuksen tuovan ystävänsä Natanaelin Jeesuksen luo. Evankeliointia kuvataan joskus ystävän tuomisena tapaamaan omaa parasta ystäväämme: Jeesusta. Ihmisläheisenä todistajana oleminen tarkoittaa, että haluamme muslimiystävämme tapaavan Jeesuksen, parhaan ystävämme niin, että he kumartavat hänen herruutensa edessä ja tulevat myös hänen ystäväkseen.

Keskustele:

1 "Pelkistä uskomuksista väitteleminen harvoin vakuuttaa ihmisiä niiden oikeellisuudesta. Niiden toiminnassa oleminen tekee eron."
   Selitä, miksi olet samaa tai eri mieltä tämän lausunnon kanssa.

2 1 Kor. 9:19-23 jakeissa Paavali selittää, että hän tuli kaikille orjaksi voittaakseen niin monia kuin mahdollista. Kuinka voimme soveltaa tätä periaatetta suhteissamme muslimeihin?

B   Käytännöllisiä tapoja saada yhteyttä muslimeihin luonnollisesti

Jeesuksen aikana juutalaiset ja samarialaiset asuivat samassa maassa, mutta luemme, että "Juutalaiset eivät näet ole missään tekemisissä samarialaisten kanssa" (Joh. 4:9). Me saatamme sanoa samaa oman maamme, kaupungin, kadun kristityistä ja muslimeista. Ehkä tämä kurssi on rohkaissut sinua alkamaan jakamaan elämääsi muslimin kanssa. Mutta sitten kysymyksesi saattaa olla: kuinka ja mistä aloitan?

Tämän vuoksi haluaisimme antaa sinulle muutamia käytännöllisiä ehdotuksia, kuinka alkaa rakentaa suhteita muslimien kanssa:

1   Tarjoudu vapaaehtoiseksi paikallisessa yhteisössäsi, tai pakolais- tai maahanmuuttajakeskuksessa.

2   Ota yhteyttä paikalliseen moskeijaan tai islam-keskukseen tavataksesi heitä, kysyäksesi onko mitään, mitä voit tehdä heidän puolestaan tai onko mitään toimintoja, joissa sinä ja seurakuntasi voitte tehdä yhdessä työtä. Voit myös kutsua heidät kokoukseen seurakunnassasi.

3   Järjestä yhdessä musliminaapureidesi kanssa huvi-ilta, jossa on ruokaa, pukuja ja musiikkia eri kulttuureista tutustuaksesi toisten kulttuureihin paremmin.

4   Pyydä muslimeita naapurustossasi antamaan erityisiä rukousaiheita ja ala rukoilemaan niiden puolesta.

5   Opi perusterveiset ja -sanonnat (esim. arabiaksi, turkiksi tai muulla kielellä, jota naapurustossasi puhutaan) ja ala tervehtimään heitä kadulla.

6   Pääsiäisenä ja jouluna, valmista erikoisia lahjoja antaaksesi ne naapurimuslimeille juhliaksesi niitä heidän kanssaan.

7   Käytä heidän liikeyrityksiään (esim. marokkolainen leipomo tai turkkilainen ruokakauppa tai leikkauta tukkasi muslimiparturilla) ja ala juttelemaan ihmisten kanssa.

8   Ota selvää, mitä erityisiä sosiaalisia tarpeita musliminaapureilla on ja ala tarjota kursseja/luokkia, joiden kautta voit heitä

auttaa (kielikursseja, urheilutoimintoja, kotiläksyluokkia, om-pelu- ja tietokoneluokkia ym.)

9   Ole mukana toiminnoissa, joita kohdistetaan muslimimaahan-muuttajille kaupungissasi.

10   Istu muslimin viereen bussissa tai metrossa ja ala keskustella.

11   Etsi keinoja tehdä yhteistyötä heidän kanssaan yhteisissä pro-jekteissa.

12   Etsi keinoja auttaa musliminaapuriasi käytännöllisellä tavalla.

13   Tutustu islamilaisiin nettisivuihin ja vieraile heidän chattisivuil-laan ja chattaa heidän kanssaan.

14   Liity heidän seuraansa, kun he istuvat paikallisessa puistossa.

Tämä ei tietenkään ole kaikenkattava lista, vain joitain esimerkkejä, joihin voi lisätä monia muita. Pääidea on löytää tilanteita, joissa voi olla luonnollisesti yhteydessä kaupunkisi, katusi, kerrostalosi musli-mien kanssa.

C   Joitakin ohjeita sopivasta ja ei-sopivasta suhteessa muslimeihin

Kuten huomautimme aikaisemmin, tehokkain kristillinen todistus syn-tyy luonnollisesti tilanteissa, joissa kristityt ja muslimit kohtaavat. On mahdotonta oppia etukäteen mitä tehdä ja sanoa, kuinka vastata ja käyttäytyä jokaisessa eri tilanteessa. Me voimme, kuitenkin, antaa joitain yleisiä ohjeita:

i   Varo miesten ja naisten välisiä eroja (esim. miehen saattaa olla epäsopivaa kätellä naista, tai käydä kylässä, kun vain nainen on paikalla);

ii   Käytä Raamattuasi kunnioittavasti (ei alleviivauksia, tarroja, älä pane sitä lattialle);

iii   Älä koskaan tarjoa muslimiystävillesi sianlihaa tai alkoholia. Tiukat muslimit syövät vain halal-lihaa, eli jonka muslimi on tappanut sen jälkeen, kun sopiva rituaali on toimitettu ja se on tehty Allahin nimissä.

iv Rukoile säännöllisesti muslimiystäviesi puolesta. Jos haluat, voit pyytää heiltä erityisiä rukousaiheita.

v Ole valmis puhumaan mistä vain (ei vain uskonnollisista aiheista) ja ole avoin omasta uskostasi; yhdistä uskosi jokapäiväiseen elämään.

vi Älä hyökkää islamia tai islamilaisia käytäntöjä tai Muhammedia vastaan. Ole varovainen, ettet kritisoi islamia. Jeesus kehottaa olemaan etsimättä roskaa jonkun toisen silmästä samalla, kun omassa silmässämme on hirsi (Matt. 7:1-5). Sinusta ei tule vitivalkoista mustamaalaamalla toisia.

vii Älä aloita riitaa (ajattele Paavalin varoitusta 2 Tim. 2:23, 24 jakeissa, joissa puhutaan tyhmistä riidoista).

viii Jos tulee erimielisyyttä, älä pakota ketään hyväksymään omaa mielipidettäsi, jätä ovi avoimeksi seuraavalle vierailulle/mahdollisuudelle/keskustelulle.

ix Tee kaikkesi poistaaksesi väärinymmärryksiä kristinuskosta, ja ole valmis myöntämään kristittyjen menneet ja nykyiset virheet ja rikokset.

x Käytä kertomuksia, esimerkkejä ja omaa todistustasi (ei vain sitä, kuinka tulit uskoon, mutta myös kuinka Herra on vastannut rukouksiisi, antoi sinulle lohduttavan jakeen, tai ohjasi sinua hiljattain ym.) selittämään raamatullista totuutta. On parempi sanoa: "Uskon, että..." tai "Minä olen vakuuttunut, että... " tai "Uskon, että Raamattu opettaa, että..." paljon yleisempien lauseiden sijaan: "Raamattu opettaa, että..." tai "Kristinusko uskoo, että...".

xi Tee sitä, mitä puhut. Vaikein ja kaikista tärkein osa evankelioimista on olla esimerkkinä ja kuvauksena sanallisesta sanomasta, jonka jaamme.

xii Ole oma itsesi. Tämä on helpoin tapa käyttäytyä pidemmänpäälle.

D   Tapaamisen malli

"Kolmen päivän kuluttua he löysivät hänet temppelistä. Hän istui opettajien keskellä, kuunteli heitä ja teki heille kysymyksiä. Kaikki, jotka kuulivat, mitä hän puhui, ihmettelivät hänen ymmärrystään ja hänen antamiaan vastauksia." (Luuk. 2:46-47)

Meidät on kutsuttu olemaan Kristuksen kaltaisia ihmissuhteissamme. Yllä olevat jakeet on otettu Luukkaan kertomuksesta Jeesuksesta, kun hän oli 12-vuoliaana temppelissä. Colin Chapman näkee tässä kertomuksessa hyvän mallin todellisesta tapaamisesta muslimin kanssa ja hän osoittaa seuraavat viisi yksityiskohtaa.[18]: **Heidän seurassaan istuminen.**

Jeesus istui opettajien keskellä. Kuinka kristitty voi istua muslimien keskellä? Vierailemalla heidän kodeissaan, viettämällä aikaa heidän kanssaan sosiaalisesti, vierailemalla moskeijassa, islamilaisessa nuorisokeskuksessa tai opiskelijaryhmässä ym. Meidän täytyy etsiä luonnollisia teitä ottaa yhteyttä. Kuinka paljon me tiedämme siitä yhteisöstä, johon he kuuluvat tai heidän historiastaan ja kulttuuristaan? Tiedämmekö, miltä tuntuu olla heidän kengissään? Tiedänkö minä, kuinka he reagoivat minuun henkilönä?

Kuunteleminen

Jeesus kuunteli opettajia. Kuinka kristitty voi oppia kuuntelemaan muslimeita? Todellisen halun kautta oppia, mitä he ajattelevat. Kiinnittämällä vakavaa huomiota siihen, kuinka he itse ilmaisevat uskonsa, sen sijaan, että vain huomioivat sen, mitä heistä sanotaan mediassa. Se tarkoittaa, että opimme heidän maailmastaan, heidän taustastaan. Että opimme kävelemään heidän kengissään ja näemme maailman heidän silmiensä kautta. Se tarkoittaa, että me opimme kuuntelemaan sydämellämme eikä vain korvillamme. Raamattu tekee selväksi, että "henkilö, joka kuuntelee hyvin, todistaa menestyksekkäästi" (Sananl. 21:28.)

---

[18] Colin Chapman, Cross and Crescent: responding to the Challenge of Islam (Downers Grove, Il., USA: IVP Books, 2007), 24, 25.

Kysyminen

Jeesus teki kysymyksiä. Kun olemme päässeet kahden ensimmäisen askeleen yli, olemme paremmassa asemassa tehdä hyviä kysymyksiä ilman, että muslimi pitäisi sellaisia kysymyksiä uhkana. Me voimme alkaa peruskysymyksillä, mutta olla tunnustelevampia, kysyä varovasti heidän uskomuksistaan ja väittämistään. Me emme tee kysymyksiä hämmentääksemme muslimiystäväämme, vaan siksi, että pääsisimme todelliseen keskusteluun.

Ymmärtäminen

Opettajat näkivät, että Jeesus ymmärsi heitä. Vastaukset kysymyksiimme johtavat meitä ymmärtämään paremmin islamin muslimin elämässä, ei niin kuin luemme jostain kirjasta. Ymmärtäminen myös saa meidät erottamaan tärkeimmät asiat, emmekä joudu sivuteille turhauttaviin keskusteluihin.

Vastaukset

Jeesus vastasi opettajien kysymyksiin. Kun muslimit näkevät, että me todella ymmärrämme heitä, he saattavat alkaa kysyä meidän uskostamme. Kun pääsemme tasolle, jossa voimme tarjota vastauksia, me vastaamme silloin todellisiin kysymyksiin, joita muslimeilla on mielessään, eikä pelkästään kysymyksiin, joita heidän meidän mielestämme tulisi kysyä, samoin tässä tilanteessa me olemme ansainneet oikeuden puhua.

> **Pyydä Herraa saattamaan sinut ainakin yhden muslimin yhteyteen, jonka kanssa voit alkaa mielekkään suhteen ollaksesi Hänen todistajana heidän elämässään.**

Päätössanat

"Oman elämämme jakaminen" -kurssi loppuu tähän. Jos sinulla on lisäkysymyksiä ja lisätietoja tai haluat tietää seuraavasta askeleesta, voit ottaa yhteyttä OM: n toimistoon info@sharinglives.eu

Kirjoja, DVD: ta ja osoitteita varten, joista voi löytää lisätietoja katso nettisivuja sekä lopussa olevaa liitettä. www.sharinglives.eu

LIITE

Lähdemateriaalia niille, jotka haulavat oppia lisää[19]

Inside Islam (DVD) (Islamin sisällä)

"Inside Islam" on v. 2002 tehty dokumentaari, joka antaa hyvän esittelyn islamista. Aiheet sisältävät islamin yhteydet juutalaisuuteen ja kristinuskoon, Muhammedin elämän, viisi islamin velvoitetta (uskontunnustus, rukous, almujen anto, paasto Ramadanin aikana, pyhiinvaellus Mekkaan), sekä islamin historia, naiset ja islam, Euroopan siirtomaavalta, islamismi, Islamin Valtio, ja jihad.

Cross and Cescent (Risti ja Kuunsirppi)
islamin haasteeseen vastaaminen
Colin Chapman

Colin Chapman, haastaessaan meitä tutkimaan omia asenteitamme, tutkii aiheita, jotka liittyvät kristittyjen kohtaamiseen muslimien ja islamin kanssa. Hän tutkii, viime kädessä, kuinka kristityt voivat tehokkaasti todistaa Jeesuksesta. Tässä kirjassa on materiaalia seuraavista aiheista: 'Islamin terrorismi', 'Mitä islam on?', 'Koraanin näkemys kristityistä' ja 'Kristittyjen uskomusten avartaminen Jeesuksesta'. Se auttaa kristittyjä ymmärtämään muslimeita paremmin nopesti muuttuvassa maailmassa.

Grace for Muslims? The journey from fear to faith
(Armoa muslimeille? Matka pelosta uskoon)
Steve Bell

Miksi periaatteellisesti 'lempeä' uskonto kääntää jotkut 'demoneiksi'? kysyi muslimilehtimies. Se on islamin debaatin keskeinen kysymys.

---

[19] Näiden materiaalien suositteleminen ei tarkoita, että olisimme yhtä mieltä kaikesta sisällöstä

Näistä 'demoneista' on tehty pelkoa synnyttäviä väitteitä, samalla, kun rauhanomaisesta islamista ei keskustella. Monet ovat hämmentyneitä uskonnon ristiriitaisista kasvoista. Voiko kristitty olla yhteydessä muslimin kanssa ilman, että olisi poliittisesti naiivi tai teologisesti liberaali? Steve uskoo, että voi. Hän kertoo omasta matkastaan ja pohtii, kuinka hän päätyi tärkeään armotekijään.

Encountering the world of Islam
(Islamin maailman kohtaaminen)
Keith Swartley (päätoimittaja)

"Islamin maailman kohtaaminen" on kurssioppikirja, joka sisältää artikkeleita 80 kirjoittajalta, jotka ovat asuneet kaikkialla muslimimaissa. Kirja ohjaa sinut matkalle muslimien elämään maailman ympäri ja omassa naapurustossasi. Tämän monipuolisen kokoelman kautta, opit Muhammedista ja islamin historiasta, saat ymmärrystä tämän päivän ristiriitaisuuksiin, ja karkottaa mielestäsi länsimaisia pelkoja ja myyttejä. Saat myös kuvaa muslimien turhautumista ja toiveista ja opit, kuinka rukoilla heidän puolestaan ja ystävystyä heidän kanssaan. Islamin maailman kohtaaminen antaa sinulle positiivisen, tasapainoisen ja raamatullisen näkökulman Jumlan sydämellä olevista muslimeita ja varustaa sinut tavoittamaan heitä Kristuksen rakkaudella.

The Crescent through the Eyes of the Cross
(Kuunsirppi ristin näkökulmasta)
Nabeel T. Jabbour

Tämän kirjan arabikristittykirjailija haluaa auttaa lukijoita ymmärtämään ja kehittämään myötätuntoa muslimeita kohtaan. Kirjailija kirjoittaa kuvitellun Ahmadin, joka on eräs hänen muslimiystävänsä, kertomuksen. 'Kuulemme' myös Ahmadin isältä ja sisarelta Egyptissä. Ahmadin ja hänen sukulaistensa 'suun' kautta kirjailija keskustelee monista muslimimaailmankatsomuksen näkökulmista, joiden läpi kristityn, joka haluaa jakaa hyvän uutisen, täytyy käydä, esim. Jeesuksen Kristuksen, Muhammedin, Koraanin ja Raamatun suhde; Israelin rooli,

kulttuurilliset erot; naisen rooli; länsimainen 'kristillinen' ristiretkien ja
siirtomaavallan historia; oman sanomamme tutkiminen islamiin liitty-
en; muslimitaustaisten uskovien liittäminen seurakuntaan.

Waging Peace on Islam
(Rauhan käyminen islamin)
Christine A. Mallouhi

Kuinka huolehtivat kristityt lähestyvät islamia? Kun islamin ja Lännen
väliset suhteet kärjistyvät, monet kristityt arkailevat muslimien ta-
paamista. Kuinka voi olla mahdollista päästä vuosien, jopa vuosisato-
jen epäluottamuksen yli? Christine Mallouhi, joka meni naimisiin mus-
limiperheeseen, on elänyt suuren osan elämästään Lähi-idässä, ehdot-
taa, että meidän täytyisi jäljitellä Pyhää Fransiskusta, joka lähti musli-
mien luo Ristiretkien aikana ja kertoi jopa Sulttaanille evankeliumin.

The Costly Call
(Kallisarvoinen kutsu)
Emir Fethi Caner and H. Edward Pruitt

Kaksikymmentä nykypäivän kertomusta Jeesuksen löytäneestä musli-
mista ympäri maailmaa.

Daughters of Islam – Building Bridges with Muslim Women
(Islamin tyttäret – Sillanrakentamista musliminaisten kanssa)
M. Adeney

Kirjassaan Islamin tyttäret – sillanrakentamista musliminaisten kanssa,
Miriam Adeney esittelee sinulle naiset, kuten Ladan, Khadijan ja Fat-
man. Opit heidän elämästään, kysymyksistään ja toiveistaan. Saat tu-
tustua arabialaisten, iranilaisten, kaakkoisintialaisten ja afrikkalaisten
sisarien edustajiin sekä nähdä, kuinka ainutlaatuisia he ovat. Näet
myös, mikä on vetänyt heidät Kristuksen luo. Kun pääset sisälle Ladan,
Khadijan ja Fatman elämään, näet, mitä on olla yhteydessä muihin
islamintaustaisiin naisiin – ja kuinka tuoda heidät Kristuksen luo.

The World of Islam (CD)
(Islamin maailma – CD)

Islamin maailma –CD-ROM sisältää 39 täyttä kirjaa ja lukuisia artikke-leita Islamista ja kristillisestä todistuksesta, sekä myös 750-sivuisen Islamin Sanakirjan, artikkeleita fundamentalismin ja taisteluhenki-islamin taustayhteydestä ja juurista. Kymmenen hiljattain uudistettua karttaa piirtää kuvan tämänhetkisestä muslimimaailmasta. Lisäksi... yli 100 painatuskelpoista valokuvaa islamilaisesta maailmasta, kahdeksan huomattavan tiedemiehen tekemää täyttä oppikurssia islamista, täysi, etsittävä Koraanin teksti, kirjaluettelo huomautuksineen, linkkejä net-tiin sivustoista, jotka liittyvät islamiin ja paljon muuta... yli 12,000 si-vua lähteitä!

More than dreams (DVD)
(Enemmän kuin unelmia – DVD)

Doku-draamamuodossa tämä DVD sisältää viisi tosikertomusta entisis-tä muslimeista, jotka nyt tuntevat Jeesuksen pelastajanaan. Kerto-mukset valittiin Egyptistä, Iranista, Turkista, Nigeriasta ja Indonesiasta. Enemmän kuin unelmia loi uudelleen jokaisen näistä kertomuksista omalla alkuperäisellä kielellään. Filmit sisältävät osan hengellisentyön tekijöille siitä, mitä on olla Kristuksen seuraaja johdattaen katselijoita pelastuksen rukoukseen.

Bert de Ruiter (ed.)

Engaging with Muslims in Europe

In Europe one finds Christian communities and Muslim communities living in close proximity to each other. Muslims and Christians pass each other in the streets, stand next to each other waiting for the bus or metro, live next to one another in streets, share apartment buildings with each other, study in the same universities, have their lunches in the same business canteens, shop in the same shopping centres. Nevertheless, they are essentially strangers to each other. Only a small minority of Churches and Christians in Europe are engaged with Muslims through meaningful and loving relationships which provide opportunities to witness to them about the truth of God.

The European Ministry to Muslims Network of the European Leadership Forum seeks to equip the Church in Europe to relate to Muslims with a compassionate heart, an informed mind, an involved hand and a witnessing tongue. In this book members of the network and others write about their engagement with Muslims in Europe.

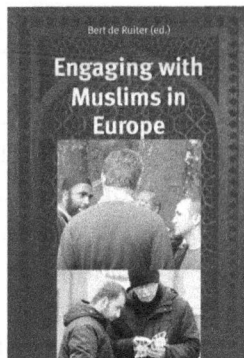

Pb. • pp. 112 • £ 7.00 • € 8.00
ISBN 978-3-95776-025-8

VTR Publications • Gogolstr. 33 • 90475 Nürnberg • Germany
info@vtr-online.com • http://www.vtr-online.com

Bert de Ruiter

Sharing Lives
Overcoming Our Fear of Islam

This book argues that the single greatest hin-
drance to Christian witness amongst Muslims
in Europe is fear.

Many European Christians fear that Europe will
gradually turn into Eurabia, or Islamic domina-
tion of Europe, and they ignore the efforts of
Muslims to adapt to the European context, a
situation pointing to a future scenario of Euro-
Islam, or Islam being Europeanized. The author
argues that instead of an attitude of fear, which
leads to exclusion, Christians should develop an
attitude of grace, which leads to embrace.

After analyzing books and courses developed to help Christians relate
to Muslims, he concludes that these mostly concentrate on providing
information and skills, instead of dealing with one's attitude. Because of
this the author developed a short course to help Christians overcome
their fear of Islam and Muslims and to encourage Christians to share
their lives with Muslims and to share the truth of the Gospel.

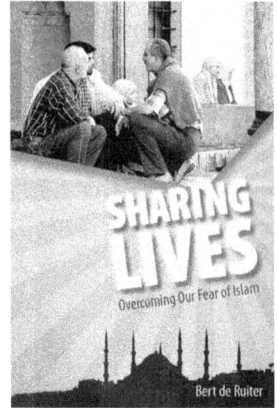

Pb. • pp. XIII + 209 • £ 13.95 • € 14.90
ISBN 978-3-941750-22-7

VTR Publications • Gogolstr. 33 • 90475 Nürnberg • Germany
info@vtr-online.com • http://www.vtr-online.com

www.ingramcontent.com/pod-product-compliance
Lightning Source LLC
Chambersburg PA
CBHW072013060426
42446CB00043B/2425